Sie finden in diesem Buch

Sie finden in diesem Buch

Alle Rezepte sind, wenn nicht anders angegeben, für 4 Personen berechnet.

4

Chong Ja Chon-Sung

Chinesisch
kochen
leicht gemacht

Reizvolle Original-Rezepte
und Küchentips

GU
Gräfe und Unzer

Umschlag-Vorderseite
Süßsaures Schweinefleisch, Favorit an Beliebtheit, besonders außerhalb Chinas. Rezept Seite 32
2. Umschlagseite
Gegrillte Honigrippchen, ein wundervolles Gericht der klassischen chinesischen Küche. Rezept Seite 30
3. Umschlagseite
In dieser Form können Sie viele Zutaten für die asiatische Küche bei uns kaufen. Eine Aufstellung der einzelnen Spezialitäten finden Sie auf Seite 63

CIP-Kurztitelaufnahme der Deutschen Bibliothek
Chon-Sung, Chong Ja:
Chinesisch kochen leicht gemacht: reizvolle Orig. – Rezepte u. Küchentips / Chong Ja Chon-Sung. – 9. Aufl. – München: Gräfe und Unzer, 1988
ISBN 3-7742-1402-6

9. Auflage 1988
© Gräfe und Unzer GmbH, München

Herstellung: Robert Gigler
Farbfotos: Fotostudio Teubner
Zeichnungen: Ingrid Schütz
Umschlaggestaltung: Constanze Reithmayr-Frank
Satz und Druck: Appl, Wemding
Reproduktionen: G. Reisacher
Bindung: R. Oldenbourg

ISBN 3-7742-1402-6

Chong Ja Chon-Sung
wurde in Korea geboren. Sie lebte viele Jahre in Europa, vorwiegend in Deutschland, blieb aber während dieser ganzen Zeit ihrer Liebe zur ostasiatischen Küche treu. Ihre Mutter ist Hauswirtschaftslehrerin und weckte früh ihr Interesse für die traditionelle ostasiatische Küche. Frau Chon-Sung hat an der Universität Gießen Ernährungswissenschaften studiert und dort auch zum Dr. agr. promoviert. Die Begeisterung für die Kochkunst ihrer Heimat veranlaßte Frau Chon-Sung, Kochkurse für ostasiatische Spezialitäten an der Münchner Volkshochschule zu halten. Dort wurden die Rezepte dieses Buches mehrfach erprobt und für die Technik europäischer Küchen eingerichtet. Gegenwärtig arbeitet sie an einer Universität in Korea.

Ein Wort zuvor

Während meines Aufenthaltes in Deutschland bin ich von meinen Freunden oft gebeten worden, für sie chinesisch zu kochen. Trotz guten Zuspruchs waren sie aber nicht zu bewegen, sich selbst an die Zubereitung eines chinesischen Gerichtes zu wagen. Dabei ist es auch für Europäer gar nicht schwer. Das erfuhr ich später in meinen vielbesuchten Kochkursen an der Volkshochschule. Unter meiner Anleitung verlor sich bald jede Scheu vor der fremdartigen Küche und den nur anfangs mühevoll erscheinenden Vorbereitungsarbeiten.

Aus diesen Erfahrungen heraus habe ich in diesem Buch eine ganz besondere Auswahl an beliebten und traditionsreichen Rezepten zusammengestellt. Es enthält einmal die Gerichte, die sich bei meinen deutschen Freunden und Kursteilnehmern der größten Beliebtheit erfreuten. Natürlich sind auch die in aller Welt bekannten und geschätzten chinesischen Rezepte vertreten, ebenso die köstlichsten der koreanischen und japanischen Küche. Denn die fast 5000jährige Tradition chinesischer Kochkunst hat sich über den gesamten ostasiatischen Raum verbreitet und wird heute sogar außerhalb Chinas bewußter gepflegt als dort. An einigen Rezepten, wie zum Beispiel dem Mondfest-Salat, zeige ich Ihnen die tiefe Verwurzelung unserer Kochkunst mit uraltem Volksbrauch und religiöser Kultvorstellung. Schließlich erzähle ich Ihnen auch noch, wie Sie Ihre Gesundheit mit Heilmitteln aus der Küche bewahren können.

Für den Beginn rate ich Ihnen, zunächst nur ein kleines chinesisches Gericht zu kochen und dieses im Rahmen einer europäischen Mahlzeit zu servieren. Später können Sie dann ein ganzes chinesisches Essen bereiten. Lassen sie sich durch die Farbbilder dieses Buches inspirieren und wählen Sie aus jedem Kapitel, was Ihnen am verlockendsten erscheint. Die Vorbereitungsarbeiten und die besonderen Gartechniken finden Sie ausführlich vor den Rezepten beschrieben und durch viele Zeichnungen erklärt. Die Praxis kann also problemlos beginnen. Die typischen Zutaten und Gewürze für die chinesische Küche habe ich im entsprechenden Kapitel beschrieben. Sie sind heute alle in Feinkostgeschäften, in großen Kaufhäusern, in Reformhäusern oder in speziellen »Chinaläden« zu bekommen. Versäumen Sie nicht, für Ihr erstes chinesisches Essen auch Stäbchen zu besorgen! Die Spezialitäten Chinas schmecken am besten, wenn sie auch mit diesem speziellen Besteck verzehrt werden.

Viel Freude beim Kochen und guten Appetit wünscht Ihnen Ihre

Chong Ja Chon-Sung

5

Typisch für die chinesische Küche

Bei uns heißt es: »Der Tag beginnt mit einem guten Essen«. So frühstücken wir bereits ausgiebig, nämlich Reis mit verschiedenen Beilagen wie Fleisch, Geflügel, Fisch, Gemüse und Suppe. Das Mittagessen fällt dagegen eher bescheiden aus, es gibt zumeist Reste vom Frühstück. Abends wird wieder im großen Familienkreis so reichlich wie morgens gespeist. Beeinflußt durch den Buddhismus essen wir wenig Fleisch, dafür aber viel Gemüse, Fisch und ganz besonders die verschiedensten Meeresfrüchte, die zusammen mit den Sojabohnen wertvolle Eiweißstoffe liefern.

Im Laufe der Jahrhunderte entwickelten sich in den verschiedenen Landesteilen Chinas besondere Charakteristika, die in der modernen Zeit aber wieder stark abgeschliffen wurden.

Landschaftliche Verschiedenheiten

Die nördliche Peking-Küche

Peking als jahrhundertealte Hauptstadt und kulturelles Zentrum Chinas war der Mittelpunkt der vornehmen chinesischen Küche. Wegen des rauhen Klimas eignet sich der nördliche Landesteil nicht zum Reisanbau, so konzentriert man sich hier auf Teigwaren und Nudelgerichte. Die in Europa beliebtesten Gerichte dieser Landschaft sind gebackene Teigtaschen, Frühlingsrollen, Wan-Tan-Suppe und natürlich die Peking-Ente.

Die mittelchinesische Shanghai- und Setschuan-Küche

Hier sind die scharf gewürzten Speisen und die weltberühmten süßsauren Gerichte zuhause.

Die südliche Kanton-Küche

Sie überrascht durch großen Reichtum an raffinierten Varianten. Typisch sind die eigenartige Gartechnik des »Pfannenrührenbratens« und das häufige Fritieren.

Chinesische Tischsitten

Ein angenehmer und hygienischer Brauch eröffnet das chinesische Festessen. Jeder Gast erhält in Dampf erhitzte Tücher, um Gesicht und Hände zu erfrischen.

Das Essen selbst wird ganz anders zusammengestellt und serviert als ein europäisches. Auch eine bescheidene Mahlzeit besteht aus mindestens drei bis fünf Gängen. Bei einem Festessen werden bis zu zwanzig Gänge gereicht, allerdings in kleinen Portionen und schubweise in mehreren Servierrunden. Man sitzt auf Bodenkissen um einen niedrigen Tisch. Bei einer größeren Gästezahl trägt er eine drehbare runde Platte, damit jeder sich leicht bedienen kann. Der höfliche Gastgeber bemüht sich zusätzlich, allen Gästen die besten Leckerbissen mit seinen extra langen Stäbchen vorzulegen. Die Gäste bedanken sich während des Tafelns wiederholt für die Einladung und loben mit höflichen Worten und nicht zu flüchtig die Kochkunst der Hausfrau. Der Hausherr dämpft dann diese

Lobeshymnen, indem er das Menü als ein bescheidenes und kärgliches Mahl bezeichnet.

Auch in vornehmen Familien herrschen für europäische Anschauungen legere Gebräuche bei Tisch. Essen und Trinken ist entspannter Genuß; man darf hören, wie es allen schmeckt.

Ehe das Mahl beginnt, erhalten die Gäste »snacks«, die aus Nüssen und getrocknetem Obst bestehen und zwischen allen Gängen geknabbert werden. Jeder Teilnehmer der Tafelrunde bekommt nun zuerst einen kleinen Teller für die Vorgerichte, der später weggenommen wird. Die Hauptspeisen werden in einer Schüssel auf den Tisch gestellt, aus der man gemeinsam ißt. Für Reis, Suppe und Gewürzsaucen hat jeder seine eigenen Schälchen. Sie bleiben während des ganzen Essens stehen. Zu den kalten Vorspeisen trinkt man Fruchtwein aus Gläsern, zu den Hauptgerichten Reiswein oder Tee aus Dekkelschalen, die das Getränk möglichst lange warm halten und das Aroma bewahren sollen. Das Eßbesteck besteht aus Stäbchen und einem Porzellanlöffel für die Suppe.

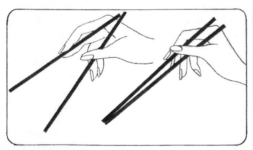

Während das untere Stäbchen zwischen Daumen und Ringfinger unbeweglich eingeklemmt wird, bewegt man das obere Stäbchen mit Zeige- und Mittelfinger und Daumenspitze.

Wer aus altem Familienbesitz noch Stäbchen aus Gold, Silber, Jade oder Elfenbein hat, holt sie für festliche Gelegenheiten hervor. Sonst sind sie heute gewöhnlich aus Holz, Bambus oder Kunststoff gefertigt.

Die Kunst, mit Stäbchen zu essen, ist nicht so schwer, wie man zunächst glaubt. Das untere Stäbchen ruht in der Vertiefung zwischen Daumen und Zeigefinger und liegt passiv etwa am Beginn des Fingernagels am Ringfinger auf. Das obere Stäbchen wird von Daumen und Zeigefinger gehalten und mit dem Mittelfinger auf- und abbewegt (siehe Zeichnung).

Besondere Küchengeräte

Natürlich gibt es in der chinesischen Küche ganz spezielle Küchengeräte, die in Europa nicht sehr bekannt und nicht alle zu kaufen sind. Bei den folgenden Ausführungen über die typischen chinesischen Geräte werde ich Ihnen deshalb immer auch erklären, durch welche vertrauten Geräte sie ersetzt werden können.

Der wichtigste Topf in der chinesischen Küche ist der »Wok«, ein gußeiserner Allzwecktopf, der ursprünglich für die offene Feuerstelle gedacht war (siehe Zeichnung). Durch seinen runden Boden kommt stets nur der unterste Teil des Topfinhaltes mit der Hitze in Berührung, was vor allem beim berühmten »Pfannenrührenbraten« von Vorteil ist. Für den Elektro- oder Gasherd können Sie den Wok durch eine normale Dekkelpfanne ersetzen.

Viel benützt wird der Fritiertopf, den Sie am besten mit einem Fritierthermometer zur

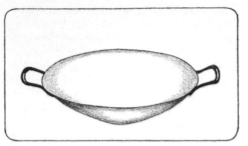

Der wichtigste Topf in der chinesischen Küche ist der »Wok«, ein gußeiserner Allzwecktopf.

Die Bambuseinsätze für den chinesischen Dampftopf kann man auch bei uns kaufen· und zu einem passenden Topf verwenden.

Feststellung der Öltemperatur ergänzen. Noch besser ist natürlich eine elektrische Friteuse.

Wichtig für die ostasiatische Küche ist auch der Feuertopf, der ursprünglich aus der Mongolei stammt. In der Funktion ähnelt er dem europäischen Fonduetopf. Doch während der Fonduetopf über der Rechaudflamme erhitzt wird, beheizt man den echten Feuertopf durch Holzkohle im Topfboden. Der hübsche, röhrenartige Kamin dient als Abzug. Der Vorteil des Feuertopfes ist die gut verteilte und behutsame Wärme, die alle Bestandteile des Gerichtes gleichmäßig gart und heiß hält (siehe Zeichnung).

Der hübsche Feuertopf mit dem röhrenartigen Kamin wird mit Holzkohle beheizt, die eine besonders milde Hitze ergibt.

Ohne den echten Dampftopf wäre in der chinesischen Küche nicht auszukommen. Er ist aus schwerem Gußeisen und hat mehrere Korbeinsätze aus Bambus, in denen die Speisen im Dampf garen. Der ideale Ersatz für den chinesischen Dampftopf ist der hiesige Dampfdrucktopf oder Schnellkochtopf.

Statt Kochlöffel, Pfannenwender und Schneebesen verwenden chinesische Hausfrauen spezielle Kochstäbchen aus Bambus; sie sind etwas länger als Eßstäbchen und am Griffende mit einer Schnur lose zusammengebunden. Zur Teigzubereitung benützen sie eine kleine, etwa 10 cm lange Teigrolle.

Fast unentbehrlich für die chinesische Küche ist der Mörser, in dem Gewürzkörner, Kräuter, Knoblauchzehen, Pfeffer, Sesamsamen und fermentierte Sojabohnen zerrieben werden. So entfalten sie ihr Aroma und ihre Geschmacksstoffe am besten. Im Mörser werden auch alle möglichen Substanzen zu feinen Pasten verarbeitet.

Keine chinesische Köchin käme im übrigen ohne das Hackbeil und den Hackklotz aus. Diese speziellen Geräte werden Sie kaum in Europa kaufen können. Ersetzen Sie den Hackklotz deshalb durch ein massives

Küchenbrett und das Hackbeil durch ein möglichst schweres, aber sehr scharfes Küchenmesser.

Küchentechnik, echt chinesisch

Die Chinesen haben große Achtung vor der Natur und ihren Produkten. Deshalb gehen sie mit besonderer Sorgfalt an die Zubereitung aller Speisen und beachten dabei altüberlieferte Regeln. Alle Produkte sollen so frisch wie möglich sein und der Naturgeschmack der Speisen unverfälscht erhalten bleiben. Ihre Konsistenz soll weich, aber nicht lasch, knusprig, aber nicht hart und zäh sein.

Das Vorbereiten

Die Garzeiten für die meisten chinesischen Gerichte sind kurz. Deshalb sollten alle Vorbereitungsarbeiten vor Kochbeginn abgeschlossen sein. Fisch und Fleisch müssen oft mariniert werden, fangen Sie also damit an. Während Fisch oder Fleisch in der Marinade liegen, wird das Gemüse sorgfältig gewaschen, von schlechten Stellen befreit, je nach Rezept kleingeschnitten und – nach Sorten getrennt – bis zur Verwendung aufbewahrt. Getrocknetes Gemüse muß nach der Rezeptvorschrift eingeweicht werden. Zuletzt die nötigen Gewürze und Geräte zurechtlegen und kochendheißes Wasser bereitstellen, das häufig gebraucht wird.

Die Schneidetechniken

Aus dreierlei Gründen werden alle Zutaten mundgerecht und oft sehr kunstvoll kleingeschnitten: Es erleichtert das Essen mit Stäbchen. Eine kurze Garzeit und die weitgehende Erhaltung der Vitamine und Mineralstoffe wird garantiert. Außerdem sehen die mit viel Liebe geschnittenen Speisen hübsch aus.

Stäbchen, Streifen, Würfel
Je nach dem Rezept und der geforderten Dicke schneiden Sie Gemüse, Fleisch oder Fisch zuerst in Scheiben, dann in Stäbchen oder Streifen und zuletzt in Würfel. Stäbchen sollen etwa die Größe von $1 \times 1 \times 4$ cm haben, Streifen »feinnudelig« geschnitten werden und halb so dick sein wie Stäbchen (siehe Zeichnung).

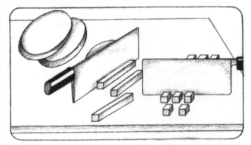

Viel Sorgfalt wird in der chinesischen Küche auf das exakte Kleinschneiden des Gargutes verwandt. Aus gleichdicken Scheiben werden akkurate Streifen und daraus feine Würfel geschnitten.

Scheiben schneiden
Fleisch, Leber, Nieren, Fisch und Gemüse werden oft auch in sehr dünne, längliche Scheiben geschnitten, Fleisch stets quer zur Faser. Diese dünnen Scheiben werden dann je nach Rezept noch in mundgerechte Stücke zerteilt (siehe Zeichnung).

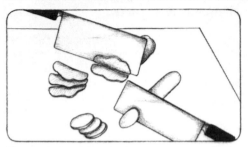

Fleisch, Leber, Nieren, Fisch und Gemüse werden häufig in hauchdünne Scheibchen geschnitten, wodurch sich die kurzen Garzeiten ergeben.

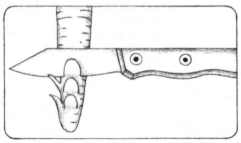

Karotten, Gurken oder Rettiche erhalten für bestimmte Rezepte spanförmige Einschnitte, die sehr gleichmäßig ausfallen sollten.

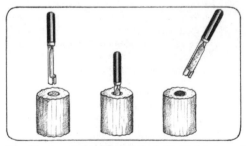

Ringförmiges Schneiden wird oft für Zwiebeln und Gurken gefordert. Hierfür die Gurke zuerst mit einem Apfelausstecher aushöhlen.

Spanförmiges Schneiden
Karotten, Gurken oder Rettiche schneiden wir manchmal spanförmig ein, etwa so, wie man einen Bleistift spitzt (siehe Zeichnung).

Ringförmiges Schneiden
Zwiebeln oder Gurken werden in Ringe geschnitten. Die Gurken dazu vorher in etwa 10 cm lange Stücke schneiden und das Innere mit einem Apfelausstecher aushöhlen (siehe Zeichnung).

Feinhacken
Hierzu bräuchte man eigentlich das chinesische Hackmesser und den Hackklotz. Sie schneiden die Zutaten zunächst mit einem Küchenmesser grob vor und zerkleinern sie dann vollkommen mit dem Wiegemesser oder einem Hackmesser. Fleisch wird immer so behandelt, nie durch den Fleischwolf getrieben.

Einkerben
Fleisch und Fisch werden mit einem scharfen Messer 2 bis 3 mm tief diagonal rautenförmig eingekerbt. Fisch sieht besonders hübsch und appetitlich aus, wenn er quer 1 cm breite Rillen erhält, die während des Garens mit Marinade gefüllt werden. Tintenfisch, vor dem Garen eingekerbt, rollt sich beim Braten ein und sieht dann aus wie ein Tannenzapfen. Karotten werden der Länge nach rundherum Kerbe neben Kerbe eingeschnitten. Die dünn abgeschnittenen Karottenscheiben sehen dann aus wie kleine Blüten, die man vor allem zum Garnieren verwendet (siehe Zeichnung).

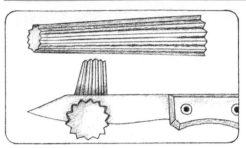

Dem Schönheitssinn zuliebe werden Möhren vor dem Schneiden in Scheiben rundherum längs eingekerbt. Die Scheibchen sehen dann wie kleine Blüten aus.

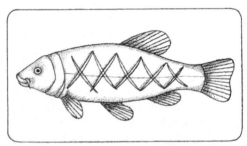

Fleisch und Fisch müssen je nach Rezept manchmal 2–3 mm tief diagonal rautenförmig eingekerbt werden, wodurch die Marinade gut ins Fleisch eindringen kann.

Zerlegen von Geflügel

Da wir auch das Geflügel mit Stäbchen essen, wird es auf eine besondere Art und Weise zerlegt. Zuerst halbiert man Hähnchen oder Ente der Länge nach. Die beiden Hälften werden mit der Geflügelschere oder mit dem Hackbeil wiederum längs geteilt und diese vier Längshälften schließlich in acht Stücke zerschnitten. Vor dem Servieren wird der Braten wieder in die ursprüngliche Form gebracht.

Die Gararten

Die meisten grundsätzlichen Gararten sind Ihnen aus der europäischen Küche bekannt. Trotzdem möchte ich im einzelnen beschreiben, wie sie in der chinesischen Küche angewandt werden.

Dämpfen

Hierbei steigt Dampf aus dem kochenden Wasser auf und zirkuliert um die Speisen. Wenn Sie keinen Dampfdruck- oder Schnellkochtopf haben, können Sie einen großen Topf benützen, eine flache, feuerfeste Schüssel umgedreht auf den Boden geben und darauf einen Teller mit den zu dämpfenden Speisen stellen. Füllen Sie dann bis zur halben Schüsselhöhe Wasser in den Topf, schließen Sie ihn und lassen Sie die Speisen im Dampf garen (siehe Zeichnung).

Kochen

Der Kochvorgang ist bei uns derselbe wie auf der ganzen Welt. Eine kleine Besonderheit: Wir blanchieren sehr viel. Gemüse oder Krustentiere werden für Sekunden in einem Sieb in kochendes Salzwasser getaucht. Die Kru-

Als Ersatz für den chinesischen Dampftopf, kann man auf den Boden eines großen Kochtopfes eine umgedrehte Schüssel stellen und darauf auf einem Teller die zu dämpfenden Speisen.

stentiere lassen sich danach mühelos schälen.
Gemüse blanchieren wir hauptsächlich aus
hygienischen Gründen vor dem Rohverzehr,
hartes Gemüse auch vor dem Braten, damit
es zarter wird.

Schmoren
In der chinesischen Küche werden vor allem
Fleisch, Fisch und Geflügel geschmort: Das
Fleischstück oder das kleingeschnittene
Fleisch zunächst von allen Seiten in heißem
Öl anbraten, mit wenig kochendheißer Flüs-
sigkeit umgießen und zugedeckt bei milder
Hitze garen.

Fritieren
Fritieren ist Garen in heißem Fett. Wir verwenden dazu nur geschmacksneutrales Öl
oder ein Spezialöl, das wir uns aus 90% Son-
nenblumenöl, 5% Olivenöl und 5% Sesamöl
herstellen. Sie finden einen Hinweis darauf in
den entsprechenden Rezepten.

Pfannenrührenbraten
Für diese typische Gartechnik der chinesischen Küche braucht man eigentlich den
»Wok«. Sonst sollte man eine Bratpfanne
mit hohem Rand nehmen. Zunächst wird
darin Öl bis zum Rauchpunkt erhitzt. Dann
werden die kleingeschnittenen Speisen hin-
eingegeben und unter ständigem Rühren in
wenigen Minuten gegart. Gemüse soll dabei
knackig, Fleisch innen saftig bleiben. Ich rate
Ihnen, zunächst immer nur kleine Mengen
nacheinander in die Pfanne zu geben, bis Sie
das »Pfannenrührenbraten« perfekt beherr-
schen.

Das chinesische Menü

Das chinesische Menü ist vor allem kontrast-
reich. Gleichgültig, ob es sich um ein Fami-
lienessen oder um ein Festmenü handelt: Die
ausgewählten Speisen bestehen aus unterschiedlichen Zutaten, sind auf verschiedene
Weise gegart und farbenfroh verziert.
Fleisch, Fisch und Geflügel werden stets zusammen mit einem Getreideprodukt und einem Salat angeboten. Reis gehört zu jeder
Mahlzeit, auch wenn dies in den folgenden
Vorschlägen nicht eigens erwähnt ist. Alles
wird gleichzeitig serviert. Dabei reicht, abge-
sehen vom Reis, ein einzelner Gang gerade
zum Sattwerden für eine Person.
   Ein Menü für Eilige ist leicht zu bereiten,
denn es besteht nur aus Reis und zwei bis
drei Gängen. Für ein Familienmenü sollten
Sie aber vier bis sechs Gänge kochen, wobei
Salat und möglicherweise Suppe mitgezählt
sind. Bei einem Festmenü rechnen wir pro
Person etwa ein Gericht, das bei uns wiederum in einer Ein-Mann-Portion serviert
wird. Wenn Sie aber die Küchen- und Koch-
arbeit ohne Hilfe bewerkstelligen müssen, ist
es für Sie einfacher, weniger Gänge oder Gerichte auszuwählen, diese aber in doppelter
und dreifacher Menge zu kochen. Unsere
Rezepte, die fast alle für vier Personen gelten, nehmen auf diese Tatsache Rücksicht.

Meine liebsten Rezepte

Beim Aufschreiben meiner liebsten Rezepte habe ich mich bemüht, Ihnen alle Arbeitsvorgänge so übersichtlich und ausführlich wie möglich zu erklären. Bei jedem Rezept finden Sie die ungefähren Angaben für die Zubereitungs- und Garzeit. Die Zubereitungszeit ist immer die Zeitspanne in der Sie tätig in der Küche sein müssen. In vielen Rezepten schließt sie aber auch kürzere Gar- oder Marinierzeiten mit ein. Sind Garzeit, Marinier- und eventuell auch Kühlzeit gesondert angegeben, bedeutet dies, daß Sie in dieser Zeit nicht unbedingt in der Küche sein müssen.

Für manche Rezepte werden als Zutat bestimmte Brühen und Saucen benötigt, die an anderer Stelle beschrieben sind. In diesen Fällen sollten Sie zuerst die Brühe oder Sauce bereiten, ehe Sie mit dem ausgewählten Gericht beginnen.

Sind die Mengen für die Zutaten in Löffeln oder Tassen angegeben, dann handelt es sich jeweils um Gemüse oder Kräuter in geputztem und zerkleinertem Zustand. Nehmen Sie zum Abmessen jeweils einen Löffel oder eine Tasse mittlerer Größe und stets die gleichen für alle Zutaten eines Rezepts, dann dürfen Sie sicher sein, daß das Verhältnis der Zutaten untereinander gut harmoniert.

Sollten Sie von den ausgefalleneren Zutaten einmal eine nicht im Hause haben, so lassen Sie sie besser weg, als etwas anderes zu nehmen. Es gibt nur selten einen geschmacklich entsprechenden Ersatz.

Wenn Sie für Gäste chinesisch kochen, rate ich Ihnen, alle Speisen etwas milder als vorgeschrieben zu würzen. Stellen Sie die zu einem Gericht gehörenden Würzsaucen und Gewürze lieber auf den Tisch, damit jeder selbst die ihm genehme Geschmacksintensität finden kann.

Schenken Sie auch den Varianten, die manches Rezept ergänzen, Ihre Aufmerksamkeit! Eine solche Variante ermöglicht es, durch oft nur geringfügige Umstellungen einem Gericht eine ganz andersartige Geschmackskomponente zu geben und erweitert somit Ihr chinesisches Repertoire.

Die Hinweise nach jedem Hauptgericht »Das paßt dazu« sollen Ihnen helfen, die Mahlzeit abzurunden und zugleich auch etwas Typisches zu servieren. Fehlt ein solcher Hinweis wie beispielsweise beim »Brennenden Reissalat«, so bedeutet dies, daß man ihn auch ohne besondere »Begleitung« genießen kann.

In den Tips habe ich versucht, vor allem die kleinen Kniffe zu erklären, die sich in meinen Kochkursen oft als nützlich erwiesen und meinen Schülern etwa kompliziertere Vorgänge erleichterten. Außerdem wollte ich hier auch Fragen beantworten, die mir im Zusammenhang mit einem bestimmten Rezept häufig gestellt wurden.

Die Angaben für Kalorien/Joule beziehen sich jeweils auf eine Portion eines Gerichtes. Sie können nur ungefähre Anhaltspunkte sein. Eine exakte Berechnung würde eine genaue Kontrolle des jeweiligen Ausgangsmaterials und des Kochvorganges erfordern.

Reizvolle Vorspeisen

Oft fragen mich europäische Freunde nach den tausendjährigen faulen Eiern. Sie sind hier wohl die berühmteste chinesische Spezialität. Die Eier werden in einen dicken Brei aus Tee-Essenz, Tannenholzasche, Lehm und Salz eingepackt und für Monate oder gar Jahre vergraben. In dieser Zeit wird das Eiweiß geleeartig und fast schwarz, der Dotter grün. Der Geschmack ist für europäische Gaumen recht fremdartig. Falls Sie diese Eier doch einmal versuchen wollen, fragen Sie danach in einem ostasiatischen Spezialgeschäft. Oder bereiten Sie lieber eines der folgenden Vorgerichte, die Ihnen sicher schmecken werden.

Omelette Fu Yong

Fu Yong Hay

1 Stange Lauch/Porree · je ¹/₂ Tasse tiefgefrorene grüne Erbsen und Karotten · 150 g Krabben aus der Dose · 6 Eier · 1 Tasse Hühnerbrühe (Rezept Seite 59) · 2 Eßl. Sojasauce · 2 Eßl. Reiswein · 2 Eßl. Öl
Pro Person etwa 220 Kalorien/920 Joule

● Zubereitungszeit: 20 Minuten

So wird's gemacht: Den Lauch waschen, in feine Streifen schneiden und mit den Erbsen und Karotten kurz blanchieren. • Die Krabben abtropfen lassen. • Die Eier verquirlen und mit dem Gemüse, den Krabben, der Hühnerbrühe, der Sojasauce und dem Reiswein mischen. • Das Öl portionsweise in der Pfanne erhitzen und nacheinander 4 Omeletten braten.

Das paßt dazu: Mondfest-Salat (Rezept Seite 47), Tomatensauce (Rezept Seite 62) und Senfsauce (Rezept Seite 62).

Gebratene Auberginen

Gazi Zun

2 junge feste Auberginen · je 1 Prise Salz, Pfeffer und Ingwerpulver · 1 Ei · 50 g Reiscrackers oder Semmelbrösel · 30 g geraspelte Mandeln · 1–2 Eßl. Öl
Pro Person etwa 150 Kalorien/630 Joule

● Zubereitungszeit: 20 Minuten

So wird's gemacht: Bei uns werden Auberginen nicht geschält, sie schmecken deshalb leicht bitter. • Wenn Sie das nicht mögen, beträufeln Sie die Auberginenscheiben einfach mit Zitronensaft oder mildem Weinessig. Einige Minuten ziehen lassen. Die Säure und das Salz nehmen dann die meisten Bitterstoffe aus den Auberginen. • Die Auberginen längs in etwa ¹/₂ cm dicke Scheiben schneiden. • Salz, Pfeffer und Ingwerpulver mit dem Ei verrühren. Die Auberginenscheiben darin wenden, in zerbröselten Reiscrackers oder einer Mischung aus Semmelbröseln und Mandeln wälzen, in wenig Öl braten und mundgerecht zerteilen.

Das paßt dazu: Mixed Pickles und Tomatensauce (Rezept Seite 62).

Variante – Gebratene Zucchini
Zucchini kann man auf die gleiche Weise zubereiten.

Salat Chung Chu

Dieser Salat ist besonders reich an Vitaminen und Mineralien. Es eignen sich dazu am besten frische Sojabohnenkeimlinge, die Sie selbst ziehen können (siehe Seite 65). Man erhält sie manchmal auch in großen Gemüsehandlungen, in Plastikbeuteln verpackt unter dem Handelsnamen Lunja. Verwenden Sie hier nur im Notfall Konserven! Nehmen Sie dann die Keimlinge aus der Dose und stellen Sie sie eine oder mehrere Stunden in einer Schüssel mit kaltem Wasser in den Kühlschrank, damit sie knackig werden.

250 g junger Blattspinat · 250 g
Sojabohnenkeimlinge, frisch oder aus der
Dose · 1 Karotte
Für die Salatsauce: 2 Eßl. Schnittlauch ·
2 Eßl. Sojasauce · 3 Eßl. Weinessig oder
Obstessig · 1 Eßl. Sesamöl oder Erdnußöl ·
4 Teel. Zucker · 1^1/$_2$ Teel. Salz · ^{1}/$_2$ Teel.
Pfeffer · 1 Teel. edelsüßes Paprikapulver ·
1 Prise Glutamat
Zum Bestreuen: 1 Teel. Sesamsamen
Pro Person etwa 40 Kalorien/170 Joule

● Zubereitungszeit: 20 Minuten

So wird's gemacht: Die Spinatblätter verlesen, waschen und ^{1}/$_2$ Minute in kochendem Salzwasser blanchieren, abschrecken, abtropfen lassen und in 4 cm lange Streifen schneiden. Die frischen Keimlinge zum Waschen in einen Topf mit Wasser geben und die oben schwimmenden grünen Bohnenschalen einige Male abgießen. Dann in kochendem Salzwasser etwa 2 Minuten blanchieren und mit kaltem Wasser abschrecken. • (Die Keimlinge aus der Dose wie beschrieben vorbereiten). • Die Karotte schälen und grob raspeln. • Den

Schnittlauch fein hacken und mit den anderen Saucenzutaten verrühren. Spinat, Sojabohnenkeimlinge und Karotte mit der Sauce mischen, mit Sesamsamen bestreuen und servieren.

> **Mein Tip** Versuchen Sie auch einen Salat aus Sojabohnenkeimlingen und frischer geraspelter Gurke.

Tee-Eier

Tza Ye Dan

Tee-Eier gehören als appetitanregende Vorspeise zu einem großen festlichen Menü. Durch den Tee, in dem sie zusätzlich gekocht werden, bekommen sie unter der Schale eine hübsche, braun-weiße Marmorierung. Die mitgekochten Gewürze geben ihnen außerdem einen ganz besonderen Geschmack.

4 Eier · 1^1/$_2$ Eßl. schwarzer Tee ·
^{1}/$_2$ Zimtstange oder 1 Eßl. Zimtpulver ·
2 Sternanis · 1 Eßl. Sojasauce · 1 Eßl. Salz
Pro Person etwa 90 Kalorien/400 Joule

● Zubereitungszeit: 15 Minuten
● Garzeit: 1 Stunde und 10 Minuten

So wird's gemacht: Die Eier hart kochen und abschrecken. Die Schale mit einem Löffel rundherum leicht anschlagen, aber nicht abschälen. • Reichlich Wasser mit dem Tee und den Gewürzzutaten aufkochen und die Eier darin ^{1}/$_2$–1 Stunde bei milder Hitze mehr ziehen als kochen lassen.

Das Bereiten der beliebten Frühlingsrollen ist weniger kompliziert als man fürchtet. Hier die wichtigsten Arbeitsphasen. Rezept Seite 24 ▷

So wird angerichtet: Die Eier abkühlen lassen, schälen, beliebig zerteilen und auf grünen Salatblättern servieren.

Mein Tip Will man die Eier besonders hübsch halbieren, geht man so vor: eine Nähnadel mit einem 10 cm langen, doppelten Faden umgekehrt in die Mitte des Eies einstechen. Die Nadel mit der einen Hand halten, mit der anderen den Faden fest anziehen und damit das Ei einschneiden. Von der Nadel ausgehend dann Stück für Stück, immer um etwa einen rechten Winkel gegenüber dem vorherigen Schnitt das Ei rundherum zickzackförmig einschneiden und teilen. Manche Mutter macht das hier so mit dem Apfel, den sie ihrem Kind in die Schule mitgibt.

Goldener Krabbentoast

Scha In Tu Zu

3 chinesische braune Trockenpilze (ersatzweise frische Champignons) · 250 g Krabben (tiefgefroren oder aus der Dose) · 1 Ei · 1 Eßl. Speisestärke · 1 Teel. Reiswein oder Sherry · 1 Prise Zucker · 1 Prise Pfeffer · 8 Scheiben Toastbrot oder französisches Weißbrot · 1–2 Scheiben Schinken (etwa 30 g) · etwas Koriandergrün oder Petersilie

Zum Bestreichen: 1 Eßl. Speisestärke · 1 Eiweiß
Zum Fritieren: geschmacksneutrales Öl oder Spezialöl (Rezept Seite 12)
Zum Anrichten: 5–6 Radieschen
Pro Person etwa 150 Kalorien/630 Joule

● Zubereitungszeit: 1 Stunde

So wird's gemacht: Die chinesischen Pilze mindestens 1/4 Stunde in heißem Wasser einweichen. • Die tiefgefrorenen Krabben etwas antauen, die Dosenkrabben abtropfen lassen, dann fein hacken. Mit dem Ei, der Speisestärke, dem Reiswein oder dem Sherry, dem Zucker und dem Pfeffer mischen. • Die Brotscheiben auf ein Brett legen und aus jeder Scheibe runde oder andere hübsche Formen ausstechen (Durchmesser 3–4 cm). • Die eingeweichten oder frischen Pilze in feine Streifen schneiden, den Schinken, das Koriandergrün oder die Petersilie fein hacken und mit den Pilzen mischen. • Die Speisestärke mit dem Eiweiß verrühren und alle Brotscheiben damit bestreichen. Auf die eine Hälfte erst eine Schicht der Krabbenpaste, dann eine Schicht Pilz-Schinken-Mischung häufen. Die zweite Hälfte darauflegen und gut andrücken. • Nun das Öl schwach erhitzen, die Toastscheiben vorsichtig mit einem Schaumlöffel hineinlegen, nach 3 Minuten umdrehen und in 6–7 Minuten goldbraun fritieren. Auf Küchenkrepp abtropfen lassen.

So wird angerichtet: Besonders hübsch sehen zum Krabbentoast »Radieschen mit Fenster« aus. Die Radieschen mit den Blättern 1/2 Stunde in Salzwasser legen. Je 3 Blätter in verschiedener Länge daranlassen und die Radieschenspitzen leicht abschneiden, damit sie stehen. Von oben nach unten jedes Radies-

◁ Knusprig und verlockend nehmen sich frisch bereitete Frühlingsrollen aus, die dem Gaumen bieten,
was sie dem Auge versprechen. Rezept Seite 24

chen viermal einkerben und in die entstande-
nen Scheiben kleine Fenster schneiden. Dann
nochmals in Salzwasser legen, damit sie auf-
gehen. Servieren Sie diese Radieschen in der
Mitte einer Platte, umgeben von den Toastbroten. Wenn Sie gerade 2 Eigelbe übrig haben, braten sie eine Omelette (Rezept Seite
62), schneiden diese in feine Streifen oder
Karos und garnieren damit den Raum zwischen den Toastbroten.

Das paßt dazu: Senfsauce (Rezept Seite 62).

Mein Tip Man kann die ganzen
Toastscheiben mit Krabbenfleisch und
den anderen Zutaten belegen und 10
Minuten im Backofen bei mittlerer
Hitze überbacken. Die Toastscheiben
vierteln, nach Belieben garnieren und
heiß servieren.

Reishäppchen in Seetang

Kimbap
Bild Seite 38

Dieses Gericht ist besonders in Korea und
Japan als Vorspeise und beim Picknick beliebt. Wenn Sie keine Seetangblätter bekommen, nehmen Sie stattdessen dünne Omelettes (Rezept Seite 62).

*1 grüne Paprikaschote · 1 mittelgroße
Karotte · 200 g Rinderfilet oder
Schweineschnitzel · etwas Öl ·*

*4 Seetangblätter oder 4 Omeletten aus
4 Eiern · 2 Tassen gekochter heißer Reis
(1 Tasse roher Langkornreis) · Eierstreifen
aus 1 Ei (Rezept Seite 62) · 1 Eßl. gerösteter
Sesamsamen · je 1 Prise Salz und Pfeffer
Zum Braten: 1–2 Eßl. Öl
Zum Garnieren: 1 Zitrone · gehackte
Petersilie*
Pro Person etwa 300 Kalorien/1250 Joule

● Zubereitungszeit: 30 Minuten
● Kühlzeit: 30 Minuten

So wird's gemacht: Die Paprikaschote halbieren, Rippen und Kerne entfernen, waschen
und in feine Streifen schneiden. • Die Karotte
schälen und der Länge nach in Scheiben
schneiden. • Das Fleisch in möglichst lange,
1 cm breite Streifen schneiden. • Alles in wenig Öl in der Pfanne etwa 5 Minuten rösten. •
Auf einem Nudelbrett Pergamentpapier aus-
breiten und die Seetangblätter oder die dünnen Omelettes darauflegen. Den heißen Reis
in einer 1 cm dicken Schicht darübergeben.
Die Paprikastreifen, Karottenscheiben,
Fleisch- und Eierstreifen auf den Reis geben.
Mit dem Sesamsamen, etwas Salz und Pfeffer
bestreuen. Mit dem Papier wie eine Biskuit-
rolle aufrollen. • ¹/₂ Stunde kühl stellen, dann
in etwa 3 cm breite Stücke schneiden. Das
Messer dabei immer wieder in kaltes Wasser
tauchen. Mit Zitronenscheiben und Petersilie
garniert anrichten.

Das paßt dazu: Soja-Zitronen-Sauce (Rezept
Seite 61).

Betrunkenes Huhn

Dschuei Tzi

Das betrunkene Huhn gehört auf eine Fest-tafel, zusammen mit anderen Schlemmereien. Natürlich macht der Reiswein im Rezept weder das Huhn betrunken noch die fröhlichen Esser.

1 junges Brathuhn · 1 Eßl. Salz · 1 Stück frische Ingwerwurzel · 1/2 Stange Lauch/ Porree
Zum Marinieren: 1 Tasse Reiswein oder Sherry · 1 Tasse Hühnerbrühe (Rezept Seite 59) · 2 Eßl. Sojasauce
Pro Person etwa 170 Kalorien/700 Joule

● Zubereitungszeit: 20 Minuten
● Garzeit: 1 Stunde
● Marinierzeit: 1–3 Tage

So wird's gemacht: Das Huhn waschen, trok-kentupfen und mit Salz einreiben. • Die Ingwerwurzel schälen und fein hacken. • Den Lauch halbieren, waschen und kleinschneiden. Das Huhn mit dem Ingwer und dem Lauch füllen und mit Holzstäbchen zustek-ken. Mit Wasser bedecken und etwa 1 Stunde leicht kochen lassen, bis es gar ist. Das Fleisch abkühlen lassen und in mund-gerechte Stücke zerteilen. Dann das Huhn 1–3 Tage in die Mischung aus Reiswein oder Sherry, Hühnerbrühe und Sojasauce legen. Wenn nötig, die Hühnerbrühe mit Rind-fleischbrühe (Rezept Seite 59) ergänzen, so daß alle Stücke mit genügend Flüssigkeit be-deckt sind.

Das paßt dazu: Senfsauce (Rezept Seite 62) oder Meerrettichsauce (Rezept Seite 62).

Chrysanthemen-Leberklöße

Kan Tüigin

Die gebackenen Klöße mit den weißen Reis-nudelspitzen erinnern an Chrysanthemenblü-ten. Auch wer sonst kein Freund von Leber ist, wird sie in dieser Form gern essen.

1 Ei · 100 g Geflügelleber · 100 g Tatar · 30 g Semmelbrösel · 1 Eßl. Sojasauce · 1 Eßl. Reiswein · je 1 Prise Salz und Glutamat
Für den Ausbackteig: 1/2 Tasse Mehl · 1/4 Tasse Mineralwasser · 1 Ei · 1 Prise Salz
Zum Panieren: 50 g Reisnudeln oder Reiskörner
Zum Fritieren: geschmacksneutrales Öl oder Spezialöl (Rezept Seite 12)
Pro Person etwa 120 Kalorien/500 Joule

● Zubereitungszeit: 30 Minuten

So wird's gemacht: Das Ei hart kochen. Die Leber und das Ei feinhacken. Beides mit dem Tatar, den Semmelbröseln und den ge-nannten Gewürzzutaten mischen. Aus dieser Masse mit feuchten Händen etwa 2 cm große Klöße formen. In einer Schüssel den Back-teig anrühren. Die Klößchen hineintauchen, etwas abtropfen lassen, in den zerbrochenen Reisnudeln (etwa 1 cm lange Stücke) oder in den Reiskörnern wenden und die Panade gut andrücken. Im heißen Öl ausbacken, bis die Reisnudeln ganz weiß sind.

Das paßt dazu: Soja-Mandarinensauce (Re-zept Seite 61)

Spezialitäten mit Reis und Nudeln

Reis ist das Hauptnahrungsmittel in Ostasien und fehlt deshalb fast bei keiner Mahlzeit. Seine Qualität ist abhängig von der Herkunft, wobei der braune Naturreis als besonders gesund gilt. Meist wird aber der polierte Reis bevorzugt, da er sich gut lagern läßt. Allerdings hat er durch das Polieren das Silberhäutchen und damit viel von seinem Vitamin-B1-Gehalt verloren, so daß es neuerdings schon mit Vitaminen angereicherten Reis gibt. Im allgemeinen unterscheidet man Rundkorn-, Langkorn- und Klebreis; der letztgenannte wird hauptsächlich für Reiskuchen verwendet. In der chinesischen, japanischen und koreanischen Küche bevorzugt man den Rundkornreis, der aber keineswegs wie der hier übliche Milchreis ist. In Indonesien dagegen ißt man am liebsten den Langkornreis (Patnareis).

Reis muß nach dem Kochen körnig trocken und trotzdem ganz gar sein. Er wird während der ganzen Mahlzeit angeboten. Da er alle Gerichte neutralisieren soll, bleibt er ungesalzen. Rundkornreis nimmt nicht so viel Wasser auf wie Langkornreis und ist daher weniger ergiebig. 1 Tasse roher Rundkornreis ergibt 2^1/$_2$ Tassen, 1 Tasse roher Langkornreis dagegen 3 Tassen fertigen Reis. Pro Person rechnet man etwa ^{1}/$_2$ Tasse rohen Reis.

Gekochter Reis

Bild Seite 56

Für das Reiskochen ist die richtige Wassermenge entscheidend:
1 Tasse Rundkornreis · 1^1/$_2$Tassen kaltes Wasser · oder 1 Tasse Langkornreis · 2 Tassen kaltes Wasser

So wird's gemacht: Den Reis im Sieb unter fließendem Wasser so lange waschen, bis das Wasser klar bleibt. In einen Topf schütten, die erforderliche Wassermenge zugeben und ^{1}/$_2$ Stunde stehenlassen. • Dann auf starker Flamme zum Kochen bringen und bei schwacher Hitze etwa 15–20 Minuten quellen lassen. Während der Kochzeit bleibt der Deckel geschlossen; es wird auch nicht umgerührt.

Gebratener Reis

Bokum bap
Bild Seite 56

250 g Schweinefilet oder Schweineschnitzel · 10 große Champignons · 2 junge Zwiebeln · 2 Eßl. Öl · 6 Tassen gekochter kalter Reis (2 Tassen roher Langkornreis) · 1 Prise Salz · 100 g Krabben · ^{1}/$_2$ Tasse Erbsen · 2 Eßl. Sojasauce · 1 Eßl. Reiswein oder trockener Sherry · je 1 Prise Salz, Pfeffer und Glutamat
Zum Garnieren: Schnittlauch oder Petersilie · 50 g Lachsschinken · Eierstreifen (Rezept Seite 62)
Pro Person etwa 450 Kalorien/1900 Joule

● Zubereitungszeit: 30 Minuten

So wird's gemacht: Das Schweinefilet in feine Streifen schneiden, die Champignons waschen, abtropfen lassen und ebenfalls in feine Streifen schneiden. Die Zwiebeln schälen und fein hacken. • Das Öl in einer großen Bratpfanne erhitzen. Die Zwiebeln, das Fleisch und die Champignons darin 10 Minuten pfannenrührenbraten (siehe Gararten Seite 12). • Den Reis und das Salz zufügen und weiter gut umrühren, damit der Reis nicht anklebt. • Nach etwa 5 Minuten die

Krabben und die Erbsen zufügen, alles gut mischen und mit den angegebenen Gewürzen vermengen. • Den Schnittlauch oder die Petersilie waschen und fein hacken. Den Lachsschinken in feine Streifen schneiden.

So wird angerichtet: Den gebratenen Reis mit Eierstreifen, Schnittlauch und Lachsschinken bestreuen und heiß servieren.

Das paßt dazu: Sauer-scharfe Suppe (Rezept Seite 50) und Salat Chung Chu (Rezept Seite 15).

Bunter Reis

Bibim bab

Wie der Name schon sagt, sieht das Gericht bunt und farbenfroh aus. Sie müssen sich nicht streng an die angegebenen Zutaten halten, sondern können der Jahreszeit entsprechendes Gemüse verwenden und alles möglichst farbig kombinieren.

250 g Rinderfilet oder Rindersteak
Für die Marinade: 1 Stückchen
Lauch/Porree · 1 Knoblauchzehe · 2 Eßl.
Sojasauce · 1 Eßl. Reiswein oder Sherry ·
1 Eßl. Öl · 1 Eßl. Zucker
8 chinesische braune Trockenpilze · 1 Tasse
kaltes Wasser · 2 Eßl. Sojasauce · 2 Eßl.
Reiswein · 1 Karotte · 1 Paprikaschote ·
1 Zwiebel · 1 kleine Dose Sojabohnenkeim-
linge · 1 Eßl. Öl · 1/2 Teel. Salz · 6 Tassen
gekochter heißer Reis (2 Tassen roher
Langkornreis) · 1 Eßl. Sesamsamen ·
je 1 Prise Pfeffer, Salz und Glutamat
Zum Garnieren: Eierstreifen (Rezept Seite 62)
Pro Person etwa 400 Kalorien/1700 Joule

● Zubereitungszeit: 40 Minuten

So wird's gemacht: Das Rinderfilet oder -steak und den gewaschenen Lauch in feine Streifen schneiden. Die Knoblauchzehe schälen und fein hacken oder zerdrücken. Lauch und Knoblauch mit den anderen Marinadezutaten mischen und über das Fleisch gießen; mindestens 10 Minuten stehenlassen. • Die Pilze waschen und mit dem kalten Wasser, der Sojasauce und dem Reiswein so lange leicht kochen lassen, bis die Flüssigkeit aufgesogen ist und die Pilze weich sind; anschließend abkühlen lassen. • Die Karotte putzen und kleinschneiden. Die Paprikaschote vierteln, Rippen und Kerne entfernen, waschen und in feine Streifen, die Zwiebel in Ringe schneiden. Die abgekühlten Pilze entstielen und in feine Scheiben schneiden. • Die Sojabohnenkeimlinge abtropfen lassen. • Etwas Öl in einer Pfanne erhitzen, die Karotte, die Paprikaschote, die Zwiebel, die Pilze und die Keimlinge mit dem Salz bestreuen und unter ständigem Rühren 1–2 Minuten braten. Aus der Pfanne nehmen und warm stellen. • Das restliche Öl erhitzen und das Fleisch darin 2 Minuten braten. • Den gekochten heißen Reis mit den Sesamsamen mischen und mit Pfeffer, Salz und Glutamat abschmecken.

So wird angerichtet: Gemüse und Fleisch sollen möglichst hübsch mit dem Reis angeordnet werden, eventuell noch garniert mit Eierstreifen. Der bunte Reis schmeckt sowohl heiß als auch kalt sehr gut.

Das paßt dazu: Abalonensuppe (Rezept Seite 51) und gegrillte Honigrippchen (Rezept Seite 30); als Nachtisch Obstsalat mit Zuckermelone (Rezept Seite 54).

Brennender Reissalat

Chirashi Sushi

Dieses Gericht stammt aus Japan. Es wird bei feierlichen Anlässen gereicht und ist sehr beliebt.

1 Tasse Bambussprossen · 200 g gekochter Schinken · 2 Gewürzgurken · 100 g Champignons · 1 Eßl. Öl · 1 Zitrone · etwa 1 Eßl. Salz · 4 Tassen gekochter kalter Reis (1½ Tassen roher Langkornreis) · 2 Eßl. Reiswein oder trockener Sherry · 2 Eßl. Sojasauce · 2 Eßl. Essig · je 1 Prise Salz und Glutamat
Zum Garnieren: Salatblätter · Weinbrand oder Cognac
Pro Person etwa 420 Kalorien/1750 Joule

● Zubereitungszeit: 20 Minuten

So wird's gemacht: Die Bambussprossen, den Schinken und die Gewürzgurken in 1 cm große Würfel schneiden. ● Die Champignons waschen, abtropfen lassen, feinblättrig schneiden und in dem Öl kurz anbraten. ● Die Zitrone halbieren, auspressen, aus einer Hälfte das Innere herausholen und sie halbvoll mit Salz füllen. ● Den Reis mit allen anderen Zutaten und den Gewürzen gut mischen und abschmecken. Den Zitronensaft nach Belieben mitverwenden.

So wird angerichtet: Kopfsalatblätter auf eine möglichst farbige Platte legen und den Reissalat daraufhäufen. Die mit Salz gefüllte Zitronenschale in die Mitte stellen. Den Weinbrand oder Cognac erwärmen, auf das Salz gießen, anzünden und servieren.

In der chinesischen Küche finden neben Reis auch sehr viele Teigwaren Verwendung. Die tägliche Hauptmahlzeit besteht in Südchina zwar aus Reis, in Nordchina dagegen aus Teigwaren. In beiden Teilen des Landes und im ganzen ostasiatischen Kulturraum aber werden an Geburtstagen und Hochzeiten gerne Nudeln gegessen, denn sie bedeuten ein langes Leben.

Die Palette der chinesischen Nudelarten übertrifft bei weitem die Italiens. Es gibt sie nicht nur in vielerlei Formen, sondern auch aus verschiedensten Mehlsorten, aus Maismehl, Weizenmehl, gemahlenem Buchweizen, Reismehl und gemahlenen Bohnenkernen. Noch immer werden bei uns Nudeln meist zu Hause hergestellt. Nur wenige Familien begnügen sich mit Industrieware, obgleich die Zubereitung für europäische Vorstellungen äußerst mühevoll ist. Für die chinesische Küche in Europa werden genügend originelle und typische Nudelarten fertig angeboten. Kochen Sie die Nudeln wie Spaghetti, und achten Sie darauf, daß die Nudeln keinesfalls zu weich werden. Sie sollten ebenso wie Spaghetti »al dente« sein. Meistens finden Sie auch einen Kochhinweis auf den Packungen.

Nudeln mit Rindfleisch

So Ko Ki Kuk Su

200 g Rinderfilet
Für die Marinade: 2 Eßl. Sojasauce · 2 Eßl. Reiswein oder Sherry · 1 Teel. Öl · 1 Teel. Zucker · 1 Prise Pfeffer
6 chinesische getrocknete Morcheln

*250 g breite Nudeln · ¹/₂ Teel. Salz · 1 Tasse
Chinakohl oder Weißkohl · 1 Stange
Lauch/Porree · 1 Karotte · 1–2 Eßl. Öl ·
2 Eßl. Speisestärke · je 1 Prise Salz und
Pfeffer
Für die Sauce: ¹/₂ Tasse Hühnerbrühe (Rezept
Seite 59) · 1 Eßl. Sojasauce · 1 Eßl.
Reiswein oder Sherry*
Pro Person etwa 450 Kalorien/1900 Joule

● Zubereitungszeit: 40–50 Minuten

So wird's gemacht: Das Rinderfilet in feine
Streifen schneiden. Alle Zutaten für die Marinade mischen, diese über das Fleisch gießen
und stehenlassen. • Die Morcheln in warmem
Wasser 15 Minuten einweichen. • Die Nudeln
in reichlich Salzwasser nach Vorschrift auf
der Packung kochen, mit kaltem Wasser abschrecken und beiseite stellen. • Den Kohl in
feine Streifen schneiden. • Den Lauch waschen, die Karotte schälen und beides in
feine Streifen schneiden; die eingeweichten
Morcheln gründlich waschen und kleinschneiden. • Die Zutaten für die Sauce mischen. • Etwas Öl in einer Pfanne erhitzen,
die Nudeln goldbraun knusprig braten, herausnehmen und warm stellen. • Die marinierten Rinderfiletstreifen 1–2 Minuten pfannenrührenbraten (siehe Gararten Seite 12), in
eine angewärmte Schüssel füllen und ebenfalls warm halten. • Das restliche Öl erhitzen,
den Kohl, den Lauch, die Karotte und die
Morcheln kurz anbraten und zugedeckt 1–2
Minuten ziehen lassen. Das Fleisch und die
Sauce daruntermischen und zum Kochen
bringen. Alles mit der kalt angerührten Speisestärke binden und mit dem Salz und dem
Pfeffer abschmecken. Die Mischung über die
gebratenen Nudeln geben und heiß servieren.

Das paßt dazu: Eierblumensuppe (Rezept
Seite 50); als Nachtisch Honigbananen (Rezept Seite 53).

Frühlingsrollen

Chun Chiän
Bilder Seite 17/18

Die Frühlingsrollen tragen ihren Namen zu
Recht, denn sie werden in China wirklich nur
im Frühjahr gegessen. Im Ausland dagegen
sind sie auch bei Nicht-Chinesen so beliebt,
daß sie das ganze Jahr über in keinem China-Restaurant fehlen. Ich beschreibe Ihnen zwei
Methoden für die Teigherstellung, unter
denen Sie wählen können.

*Für den Teig: 2 Tassen Mehl · ³/₄ Tasse
warmes Wasser · 1 Prise Salz
Für die Füllung: 200 g feingehacktes
Schweinefleisch · 2 Eßl. Reiswein oder
Sherry · 1 Eßl. Speisestärke · 1 Prise Salz ·
1 junge Zwiebel · ¹/₂ Stange Lauch/Porree ·
1 Tasse Sojabohnenkeimlinge · 1 Eßl. Öl ·
1 Eßl. Sojasauce · je 1 Prise Pfeffer, Zucker
und Glutamat
Zum Bestreichen: 1 Ei · 2 Eßl. Speisestärke
Zum Fritieren: geschmacksneutrales Öl oder
Spezialöl (Rezept Seite 12)*
Pro Person etwa 350 Kalorien/1450 Joule

● Vorbereitungszeit: 10 Minuten
● Ruhezeit: 2 Stunden
● Zubereitungszeit: 45 Minuten

Das wird vorbereitet: Aus dem Mehl, dem
Wasser und dem Salz einen festen Teig kneten und diesen 2 Stunden mit einem feuchten
Tuch bedeckt stehenlassen.

So wird's gemacht: Aus dem Teig eine 5 cm dicke Rolle formen. 2 cm dicke Scheiben davon abschneiden und zu hauchdünnen Fladen von etwa 15 cm Durchmesser ausrollen. • Bis zur Verwendung wieder mit dem feuchten Tuch bedecken. • Das gehackte Schweinefleisch mit dem Reiswein oder dem Sherry, der Speisestärke und 1 Prise Salz mischen. Die Zwiebel schälen und mit dem gewaschenen Lauch fein hacken. • Die Sojabohnenkeimlinge abtropfen lassen. • In einer Pfanne das Öl erhitzen. Das Fleisch 1 Minute anbraten, das Gemüse zugeben, weitere 2 Minuten braten und mit der Sojasauce und den Gewürzen abschmecken. Alles abkühlen lassen. • Die Teigfladen mit jeweils 1–2 Eßlöffeln der Füllung unterhalb der Mitte belegen. Das Ei mit der Speisestärke verquirlen und die oberen und seitlichen Ränder der Teigfladen mit dieser Masse bestreichen. Das untere Ende über die Füllung legen. Die beiden seitlichen Ränder nach innen falten und die obere Teigklappe auf die Rolle legen. Sollte der Teig brechen, das Loch mit wenig von dem Ei-Stärke-Gemisch verkleben. • Das Fritieröl erhitzen und die Frühlingsrollen darin fritieren, bis sie leicht braun sind. Herausnehmen, eine Weile ruhen lassen und dann nochmals in das heiße Öl legen. So werden sie innen gar und außen knusprig goldbraun.

Methode 2 für die Frühlingsrollen:
Für den Teig: 2 Tassen Mehl · 2 Eier ·
2 1/2 Tassen Wasser · 1 Prise Salz
Zum Braten: 1–2 Eßl. Öl

So wird's gemacht: Aus den Teigzutaten einen Pfannkuchenteig rühren. 1/2 Stunde stehenlassen. Eine Pfanne mit Öl ausstreichen. Einen kleinen Schöpflöffel voll Teig hineingießen und die Pfanne so drehen, daß der Teig gleichmäßig etwa im Durchmesser von 15 cm auseinanderläuft. Der Pfannenboden soll nur hauchdünn mit Teig bedeckt sein; zu viel Teig wieder zurückgießen. Nur auf einer Seite braten, dann das so erhaltene »trockene Blatt« auf einen Teller legen. Auf diese Weise den ganzen Teig verarbeiten. Die angegebene Menge ergibt etwa 8–10 Pfannkuchen. • Die Pfannkuchen wie im Rezept beschrieben füllen und fritieren.

Das paßt dazu: Soja-Essig-Sauce (Rezept Seite 60).

Mein Tip Stellen Sie die drei- bis vierfache Menge her und frieren Sie die nicht sofort benötigten Rollen nach einmaligem Fritieren ein. Bei Bedarf die noch gefrorenen Rollen 5–10 Minuten schwimmend in Öl ausbacken.

Gebackene Teigtaschen

Jao Tse

Für den Teig: 2 Tassen Mehl · 1/2 Tasse lauwarmes Wasser · 1 Ei · 2 Eßl. Speisestärke · 1 Prise Salz
Für die Füllung: 200 g Chinakohl oder 100 g Sauerkraut · 1 Zwiebel · 250 g gehacktes Schweinefleisch · 2 Eßl. Öl · 3 Eßl. Sojasauce · 2 Eßl. Reiswein oder trockener Sherry · je 1 Prise Salz, Pfeffer und Glutamat
Zum Braten: 2 Eßl. Öl
Pro Person etwa 370 Kalorien/1550 Joule

Rindfleisch mit Sojabohnenkeimlingen, eine zarte ▷
Delikatesse. Rezept Seite 31
Zum Bild auf Seite 28: Chinesische Gemüsepfanne ist im Wok schnell zubereitet. Rezept Seite 46

- Vorbereitungszeit: 10 Minuten
- Ruhezeit: 30 Minuten
- Zubereitungszeit: 30 Minuten

Das wird vorbereitet: Aus dem Mehl, dem Wasser, dem Ei, der Speisestärke und dem Salz einen Teig kneten und diesen $1/2$ Stunde, mit einem feuchten Tuch bedeckt, ruhen lassen.

So wird's gemacht: Aus dem Teig eine 5 cm dicke Rolle formen, 1 cm dicke Scheiben davon abschneiden und diese zu Fladen von etwa 7 cm Durchmesser ausrollen. Bis zur weiteren Verwendung wieder mit dem feuchten Tuch bedecken. • Den Chinakohl waschen und in feine Streifen schneiden oder das Sauerkraut auspressen. Die Zwiebel schälen und fein hacken. Das gehackte Schweinefleisch, den Chinakohl oder das Sauerkraut, das Öl, die Sojasauce, den Reiswein oder den Sherry und die Gewürze miteinander mischen. • In die Mitte der Teigfladen je 2 Teelöffel Füllung geben. Die Teigfladen halbmondförmig falten und mit der Gabelspitze den Rand fest zusammendrükken. • Das Öl in einer Pfanne erhitzen, jede Tasche kurz von beiden Seiten anbraten, dann alle nebeneinander mit der gefalteten Seite nach oben in die Pfanne setzen. Bei starker Hitze 2 Minuten braten, bis die Unterseiten hellbraun sind. $1/2$ Tasse Wasser zugeben, schnell zudecken und bei schwacher Hitze etwa 5 Minuten fertiggaren.

Das paßt dazu: Soja-Mandarinen-Sauce (Rezept Seite 61) und alle Arten von Feuertopf (Rezepte auf den Seiten 34–39); als Nachtisch gefüllte Melone (Rezept Seite 57).

Mein Tip Man kann die Teigtaschen auch kochen, dämpfen oder fritieren. • Will man sie einfrieren, legt man sie vorher nur kurz in kochendes Wasser. Wenn sie an die Oberfläche kommen, nimmt man sie heraus, verpackt sie und friert sie ein. Bei Bedarf antauen lassen und dann goldbraun knusprig braten.

Mandarin-Pfannkuchen

Sie werden zur Peking-Ente gegessen.

200 g Mehl · $3/4$ Tasse kochendes Wasser · 3–4 Eßl. Sesam- oder Pflanzenöl
Pro Person etwa 200 Kalorien/850 Joule

- Vorbereitungszeit: 30 Minuten
- Zubereitungszeit: 30 Minuten

Das wird vorbereitet: Das Mehl und das Wasser zu einem festen Teig verkneten. Zugedeckt $1/2$ Stunde ruhen lassen.

So wird's gemacht: Den Teig $1/2$ cm dick ausrollen. Scheiben von etwa 5 cm Durchmesser ausstechen. Die Hälfte der Scheiben mit Öl bestreichen, die andere Hälfte drauflegen. Die doppelten Scheiben zu Fladen von etwa 15 cm Durchmesser ausrollen. • Wenig Öl in einer Pfanne erhitzen, die doppelten Pfannkuchen auf jeder Seite etwa $1/2$ Minute braten, dann sofort die beiden Hälften vorsichtig voneinander trennen. • Gleich servieren oder warm halten, bis die Ente fertig ist.

Fleischgerichte

Seit jeher wird in China hauptsächlich Schweinefleisch gegessen, daneben aber auch Hammel und Rindfleisch.

Löwenköpfe

Shih Tzu Tou

Natürlich essen wir weder in China noch in den Nachbarländern Löwen. Das Gericht trägt diesen Namen deshalb, weil die Fleischklößchen im strähnigen Kohl an Löwenmähnen erinnern.

250 g gehacktes Schweinefleisch · 2 Eßl. Sojasauce · 2 Eßl. Reiswein · 1 Eßl. Speisestärke · je 1 Prise Salz, Pfeffer und Zucker · 1 Stück frische Ingwerwurzel · 1 Frühlingszwiebel · 250 g Chinakohl (ersatzweise Weißkohl) · 2 Eßl. Öl · 1/2 Teel. Salz · 1 Ei · 2 Eßl. Speisestärke Für die Sauce: 1 Eßl. Speisestärke · 3 Eßl. Sojasauce · 3 Eßl. Reiswein · 1 Tasse Hühnerbrühe (Rezept Seite 59) · je 1/2 Teel. Salz, Pfeffer und Glutamat
Pro Person etwa 220 Kalorien/920 Joule

- Zubereitungszeit: 30 Minuten
- Garzeit: 30 Minuten

So wird's gemacht: Das gehackte Schweinefleisch mit der Sojasauce, dem Reiswein, der Speisestärke, dem Salz, dem Pfeffer und dem Zucker mischen. Die Ingwerwurzel schälen und reiben. Die Zwiebel schälen und fein hacken. Ingwer und Zwiebel mit dem Fleischteig vermengen. • Daraus 4 flache Klöße von etwa 10 cm Durchmesser formen. • Den Chinakohl in einzelne Blätter zerlegen, waschen und quer in 8 cm breite Stücke schneiden. • 1 Eßlöffel Öl in einer Kasserolle erhitzen, die Kohlblätter mit etwas Salz bestreuen und etwa 1 Minute im Öl braten. Die Hälfte der Blätter am Boden der Kasserolle lassen, die andere Hälfte beiseite stellen. • Die Hackfleischklöße erst in dem verquirlten Ei, dann in der Speisestärke wenden und auf beiden Seiten in einer Pfanne mit dem restlichen Öl braun braten. Herausnehmen, auf den Kohl in der Kasserolle legen und mit den anderen Kohlblättern zudecken. • Die Speisestärke mit wenig kaltem Wasser anrühren. Mit den anderen Saucenzutaten mischen, über das Gericht gießen und bei milder Hitze fest zugedeckt etwa 30 Minuten garen. Ab und zu nachsehen und bei Bedarf noch etwas Hühnerbrühe zugeben.

So wird angerichtet: Den Kohl auf eine Platte geben, die Löwenköpfe darauf anordnen und alles mit der Kochbrühe übergießen.

Das paßt dazu: Chop Suey (Rezept Seite 48) und Hummer mit Chilisauce (Rezept Seite 44).

Chinesische Koteletts

Lo Suei Zu Ro

4 Schweinekoteletts · 2 Eßl. Speisestärke · 1/2 Tasse Hoisinsauce (Rezept Seite 63) Für die Marinade: 4 Eßl. Sojasauce · 2 Teel. Sesamöl · 1 Eßl. brauner Zucker · 1 Eßl. Ingwerpulver · 1/2 Teel. Salz · je 1 Prise Pfeffer und Glutamat

Zum Fritieren: geschmacksneutrales Öl oder Spezialöl (Rezept Seite 12)
Zum Bestreuen: 1 Eßl. Sesamsamen
Pro Person etwa 450 Kalorien/1900 Joule

- Vorbereitungszeit: 15 Minuten
- Marinierzeit: 30 Minuten
- Zubereitungszeit: 20 Minuten

Das wird vorbereitet: Die Koteletts auf beiden Seiten diagonal einkerben (Küchentechniken Seite 10). • Alle Zutaten für die Marinade mischen und die Koteletts 30 Minuten hineinlegen, dabei ab und zu wenden.

So wird's gemacht: Die Koteletts abtropfen lassen, auf beiden Seiten mit der Speisestärke einreiben und im heißen Öl 5–7 Minuten goldbraun fritieren. • Die restliche Marinade mit der Hoisinsauce mischen und alles erhitzen.

So wird angerichtet: Vor dem Servieren das Fleisch in mundgerechte Stücke schneiden und wieder zur ursprünglichen Form zusammensetzen. Mit der fertigen, heißen Sauce übergießen und mit Sesamsamen bestreuen.

Das paßt dazu: gebratene Bohnenschoten (Rezept Seite 46).

Gegrillte Honigrippchen

Kao Pai Gu
Bild 2. Umschlagseite

1 kg Schweinerippchen · 2–3 Eßl. Zucker · Für die Marinade: 2 Knoblauchzehen ·

5 Eßl. Sojasauce · 2 Eßl. Honig · 2 Eßl. Hoisinsauce (siehe besondere chinesische Zutaten Seite 63) · 2 Eßl. Weinessig · 2 Eßl. Reiswein oder Sherry · 1 Teel. Pfeffer · 1/2 Teel. edelsüßes Paprikapulver · nach Belieben etwas Chilisauce
Zum Braten: 2 Eßl. Öl
Zum Garnieren: gehackte Petersilie
Pro Person etwa 650 Kalorien/2700 Joule

- Vorbereitungszeit: 35 Minuten
- Marinierzeit: 2 Stunden
- Garzeit: 35 Minuten

Das wird vorbereitet: Die Rippchen am besten gleich vom Metzger der Länge nach in Portionen von jeweils 3 Rippen schneiden lassen. Dann selbst quer noch in mundgerechte kleinere Stücke schneiden. Fett und Bindegewebe entfernen. Das Fleisch mit einem scharfen Messer diagonal in beiden Richtungen 2–3 mm tief einschneiden (Schneidetechniken Seite 10), mit Zucker einreiben und 30 Minuten stehenlassen. • Die Knoblauchzehen schälen, fein hacken oder zerdrücken und mit allen anderen Zutaten für die Marinade mischen. Das Fleisch in die Marinade legen, mindestens 2 Stunden ziehen lassen, dabei ab und zu wenden.

So wird's gemacht: Den Backofen auf 220° vorheizen. Den Bratrost des Backofens mit Öl bestreichen und das Fleisch auf dem Rost in den Backofen schieben. Nach etwa 15 Minuten das Fleisch mit Öl und Marinade bestreichen, wenden und wieder bestreichen. Bei 170° unter öfterem Umwenden braten, bis das Fleisch auf allen Seiten schön knusprig braun ist.

So wird angerichtet: Die Rippchen auf eine

Platte legen und mit der gehackten Petersilie garnieren.

Das paßt dazu: Mangochutney (Rezept Seite 59), süßsaure Broccoli (Rezept Seite 47) und bunter Reis (Rezept Seite 22).

Rindfleisch mit Soja-bohnenkeimlingen

Sokogi Bukum
Bild Seite 27

500 g Rinderfilet · 300 g Sojabohnenkeim-linge, frisch oder aus der Dose · 2 Eßl. Öl · 1 Prise Salz · 1 Stückchen frische Ingwer-wurzel
Für die Marinade: 1 Stückchen Lauch/Porree · 1 Knoblauchzehe · 1 Eßl. Speisestärke · 2 Eßl. Sojasauce · 2 Eßl. Reiswein oder trockener Sherry · 2 Teel. Zucker

Zum Garnieren: 1 kleine Dose Mandarinen
Pro Person etwa 350 Kalorien/1450 Joule

● Zubereitungszeit: 25 Minuten

So wird's gemacht: Das Rinderfilet in etwa 2 cm große Scheibchen schneiden. • Für die Marinade den Lauch waschen und in feine Streifen schneiden. Die Knoblauchzehe schälen und fein hacken oder auspressen. Die mit wenig kaltem Wasser angerührte Speisestärke mit dem Lauch, dem Knoblauch und allen übrigen Zutaten für die Marinade mischen, über das Fleisch gießen und mindestens 10 Minuten stehenlassen. • Die Sojabohnen-keimlinge wie beim Salat Chung Chu (Re-

zept Seite 15) beschrieben vorbereiten. • 1 Eßlöffel Öl in einer Pfanne erhitzen und die gesalzenen Keimlinge darin 2 Minuten pfannenrührenbraten (siehe Gararten Seite 12). In einer Schüssel warm halten. • Den Ingwer schälen und in Scheibchen schneiden. Das restliche Öl in einer Pfanne erhitzen, zum Aromatisieren die Ingwerscheiben ganz kurz darin braten und wieder herausnehmen. Dann das Rindfleisch 2 Minuten pfannenrüh-renbraten. Das Fleisch mit den Sojabohnen-keimlingen mischen und mit den abgetropf-ten Mandarinenspalten garnieren.

Das paßt dazu: gebratener Reis (Rezept Seite 21); Wan-Tan-Suppe (Rezept Seite 51) und als Nachtisch Früchtekuchen (Rezept Seite 53).

Mein Tip Versuchen Sie auch Rindfleisch mit Bambussprossen, mit Sellerie, mit Spargel und mit Erbsen-schoten, oder mit Erbsen und Karot-ten. Man kann je nach Jahreszeit vari-ieren.

Geschnetzeltes mit Zwiebeln

Tscha Yang Zung
Bild Seite 56

500 g mageres Rindfleisch · 2 Zwiebeln · 2 Eßl. Öl · $^1/_2$ Teel. Salz · 1 Teel. Sesamsamen · 2 Eßl. Sojasauce · je 1 Prise Pfeffer und Glutamat
Für die Marinade: 1 Eßl. Öl · 1 Eßl.

*Reiswein · 2 Eßl. Sojasauce · 1 Teel. Zucker
1 Teel. Speisestärke*
Pro Person etwa 170 Kalorien/700 Joule

- Vorbereitungszeit: 15 Minuten
- Zubereitungszeit: 15 Minuten

Das wird vorbereitet: Das Fleisch in feine
Streifen schneiden. Alle Zutaten für die Marinade mischen, über das Fleisch gießen und
mindestens 10 Minuten ziehen lassen.

So wird's gemacht: Die Zwiebeln schälen,
halbieren, in feine Streifen schneiden, in dem
erhitztem Öl kurz pfannenrührenbraten
(siehe Gararten Seite 12), salzen und mit Sesamsamen bestreuen. Wenn die Zwiebeln
glasig sind, das Fleisch zugeben, 1 Minute
braten und mit Sojasauce, Pfeffer und Glutamat würzen. Heiß servieren.

Das paßt dazu: Omelette Fu Yong (Rezept
Seite 14).

Variante – Geschnetzeltes Paprikafleisch
Bereiten Sie das Fleisch wie im Rezept beschrieben, verwenden Sie aber statt der
Zwiebeln je 1 rote und grüne Paprikaschote,
in Streifen geschnitten.

Süßsaures Schweinefleisch

Tang Tschu Dschu Ro
Titelbild

*600 g mageres Schweinefleisch
Für die Marinade: 2 Eßl. Sojasauce · 2 Eßl.
Reiswein oder Sherry · je 1 Prise Salz, Pfeffer
und 5-Gewürze-Pulver*

*Für den Teig: 1 Ei · 2 Eßl. Mehl · 2 Eßl.
Speisestärke · 2 Eßl. Hühnerbrühe (Rezept
Seite 59) oder Mineralwasser · 1/2 Teel. Salz
Für die Sauce: je 1 grüne und rote
Paprikaschote · 1/2 Tasse Mixed Pickles ·
1/2 Tasse Ananasstücke · 1 Eßl. Öl · 1 Stück
frische Ingwerwurzel · 2 Knoblauchzehen ·
1/8 l Hühnerbrühe (Rezept Seite 59) oder halb
Ananassaft halb Hühnerbrühe · 3–4 Eßl.
Zucker (wenn nur Hühnerbrühe verwendet
wird), 2 Eßl. Zucker bei Verwendung von
Ananassaft · 2 Eßl. Tomatenketchup · 4 Eßl.
milder Weinessig · 2 Teel. Sojasauce ·
1 Prise Salz · 1 Eßl. Speisestärke
Zum Fritieren: geschmacksneutrales Öl oder
Spezialöl (Rezept Seite 12)*
Pro Person etwa 220 Kalorien/900 Joule

- Vorbereitungszeit: 30 Minuten
- Zubereitungszeit: 20 Minuten

Das wird vorbereitet: Das Schweinefleisch in
etwa 2 cm große Würfel schneiden, dabei
noch vorhandenes Fett entfernen. • Die Zutaten für die Marinade mischen, über die
Fleischwürfel gießen und alles zugedeckt 20
Minuten stehenlassen. • Für den Teig das Ei
verquirlen und mit dem Mehl, der Speisestärke, der Hühnerbrühe oder dem Mineralwasser und dem Salz verrühren. Den Teig etwa
15 Minuten ruhen lassen. • Für die Sauce alle
Zutaten vorbereiten und bis zum Gebraucht-
werden beiseite stellen. Die Paprikaschoten
vierteln, Rippen und Kerne entfernen, waschen und in etwa 1 cm große Würfel schneiden. Die Mixed Pickles fein hacken. Die
Ananasstücke in 1 cm große Würfel schneiden. Die Ingwerwurzel und die Knoblauchzehe schälen und fein hacken. Das Öl in eine
Pfanne geben.

So wird's gemacht: Das Fritieröl in einem Fritiertopf oder in der elektrischen Friteuse erhitzen. Die Fleischwürfel in den Ausbackteig tauchen, leicht abtropfen lassen und rasch hintereinander in das heiße Öl geben. Etwa 6 Minuten fritieren, bis sie rundherum knusprig braun sind. Nicht zu viel Fleisch auf einmal fritieren, da das Öl sonst zu schnell an Hitze verliert. Die garen Fleischwürfel mit dem Schaumlöffel aus dem Öl heben und auf Küchenkrepp abtropfen lassen. Nach und nach alle Fleischwürfel ausbacken und nach dem Abtropfen in einer Schüssel im Backofen bei etwa 75° heiß halten. Gut darauf achten, daß das Öl während des Fritierens nicht zu heiß ist, da das Fleisch sonst zu dunkel wird. • Für die Sauce die Pfanne mit dem Öl erhitzen, bis es zu rauchen beginnt. Die Hitze dann sofort reduzieren. Die Ingwer- und die Knoblauchstückchen und die Paprikawürfel (je 1 Eßlöffel rote und grüne Würfelchen zur Verzierung zurücklassen) anbraten. Dann die gehackten Mixed Pickles und die Ananaswürfel zugeben und nicht länger als 2–3 Minuten unter Rühren braten. Die Hühnerbrühe oder die Hühnerbrühe mit Ananassaft, den Zucker, das Ketchup, den Essig, die Sojasauce und das Salz zufügen und etwa 1 Minute aufkochen lassen. Die mit wenig kaltem Wasser angerührte Speisestärke dazugießen und bei schwacher Hitze kochen, bis die Sauce dick und klar ist.

So wird angerichtet: Die fritierten Fleischwürfel erst kurz vor dem Servieren in die Sauce geben, mit den restlichen Paprikaschoten bestreuen und heiß servieren.

Das paßt dazu: jede Art von Reis (Rezepte Seite 21/22), Salat Chung Chu (Rezept Seite 15) und als Nachtisch Obst.

Leber mit Ingwer

Kan Bokum

500 g Kalbsleber · 1 Stück frische Ingwerwurzel · 1 Knoblauchzehe · 1 Prise Salz · 1 Teel. Pfeffer · ¹/₂ Stange Lauch/Porree · 2 Eßl. Öl · 1 Eßl. Speisestärke · 2 Eßl. Sojasauce · 2 Eßl. Reiswein oder Sherry
Pro Person etwa 180 Kalorien/750 Joule

- Vorbereitungszeit: 20 Minuten
- Zubereitungszeit: 10 Minuten

Das wird vorbereitet: Die Leber enthäuten und in mundgerechte Stücke schneiden. Die Ingwerwurzel und die Knoblauchzehe schälen, fein hacken, mit dem Salz und dem Pfeffer mischen und die Leberstücke damit einreiben. Etwa 10 Minuten stehenlassen.

So wird's gemacht: Den Lauch waschen, halbieren und schräg in feine Streifen schneiden. • Das Öl in der Pfanne erhitzen. Die Leberstücke in der Speisestärke wenden und 1–2 Minuten pfannenrührenbraten (siehe Gararten Seite 12). Am wertvollsten ist Leber halb gegart oder sogar roh. • Den Lauch, die Sojasauce und den Reiswein oder den Sherry zugeben und alles 1 Minute aufkochen lassen.

Das paßt dazu: Chinesische Gemüsepfanne (Rezept Seite 46).

Die Feuertöpfe

Unsere Feuertöpfe möchten wir nicht missen. Sie sind in China, Korea, Japan und der Mongolei ein sehr beliebtes Gesellschaftsessen. Für die etwas mühsame Vorbereitung wird man durch ein interessantes Gericht und einen gemütlichen Abend restlos entschädigt.

Feuerfleisch

Bul Go Gi

Bei uns gart man das Feuerfleisch auf Holzkohle. Dafür gibt es eine spezielle Bul-Go-Gi-Pfanne, die in der Mitte nach oben gewölbt ist und dort viele kleine Löcher hat. In der Rille ringsherum sammelt sich die besonders schmackhafte Sauce. Das Ganze sieht aus wie eine große Zitronenpresse.

600 g Rinderfilet oder Roastbeef · 3–4 Eßl. Zucker
Für die Marinade: 1 Stange Lauch/Porree · 3 Knoblauchzehen · 1 frische Birne · 1/2 Tasse Sojasauce · 1/2 Tasse Wasser · 2 Eßl. Sesamöl · 1/2 Teel. Pfeffer · je 1 Prise Salz und Glutamat
Zum Braten: 2–3 Eßl. Öl
Zum Garnieren: Schnittlauch
Pro Person etwa 320 Kalorien/1350 Joule

- ● Vorbereitungszeit: 20 Minuten
- ● Marinierzeit: 2–24 Stunden

Das wird vorbereitet: Das Fleisch möglichst gleich beim Einkaufen in hauchdünne Scheiben schneiden lassen und diese dann in lange, 4–5 cm breite Streifen schneiden. Mit dem Zucker bestreuen, gut mischen und 10 Minuten stehenlassen. • Den Lauch waschen, fein schneiden, die Knoblauchzehen schälen,

fein hacken oder zerdrücken. Die Birne schälen und reiben. Den Lauch, den Knoblauch und die Birne mit den anderen Zutaten für die Marinade verrühren. • Das Fleisch einlegen und mindestens 2 Stunden ziehen lassen. Man kann das Fleisch sogar einen ganzen Tag im Kühlschrank in dieser Marinade liegen lassen. • Den Schnittlauch hacken und beiseite stellen.

So wird's gemacht: Hat man eine elektrische Pfanne, so stellt man sie auf 225° ein. Man kann aber auch eine große normale Pfanne auf einem starken Rechaud oder auf einer elektrischen Einzelplatte auf den Tisch stellen. Die Pfanne erhitzen und immer wieder etwas Öl hineingeben. Das Fleisch nach und nach kurz braten, mit Schnittlauch bestreuen und sofort essen.

Das paßt dazu: Mondfest-Salat (Rezept Seite 47).

Japanische Rindfleischfondue

Sukiyaki

1 kg Rindersteak · 6 chinesische, braune getrocknete Pilze (ersatzweise frische Steinpilze) · 1 Eßl. Sojasauce · 2 Eßl. Reiswein · 1/2 Tasse Wasser · 4 Stangen Bleichsellerie · 1 Stange Lauch/Porree · 250 g Bambussprossen · 2 Zwiebeln · 250 g frischer Blattspinat · 2–3 Eßl. Öl
Für die Sauce: 1/2 Tasse Sojasauce · 2 Tassen Reiswein oder Weißwein · 1/2 Tasse Wasser · 4 Teel. Zucker · je 1 Prise Salz, Pfeffer und Glutamat

*Zum Dippen: Sojasauce, Chilisauce,
Soja-Zitronen-Sauce, süßsaure Sauce,
Meerrettichsauce (Rezepte für die Saucen auf
den Seiten 61/62)*
Pro Person etwa 250 Kalorien/1050 Joule

● Vorbereitungszeit: 30 Minuten

Das wird vorbereitet: Das Rindfleisch möglichst schon beim Kauf in ganz dünne Scheiben schneiden lassen (dünner als Rouladen).
Muß man es selbst schneiden, das Fleisch
vorher ins Gefrierfach legen. Aus den Scheiben etwa 4 cm lange Streifen schneiden. • Die
getrockneten Pilze gut waschen, in der Sojasauce, dem Wein und dem Wasser bei schwacher Hitze kochen lassen, bis sie weich sind.
Dann in feine Streifen schneiden. (Die Steinpilze waschen, putzen und fein schneiden). •
Den Stangensellerie der Länge nach halbieren, waschen und in 2 cm lange, rautenförmi-
ge Stücke schneiden. Den Lauch ebenfalls
waschen, halbieren und schräg in feine Streifen, die Bambussprossen in 1–2 cm große
Stücke schneiden. • Die Zwiebeln schälen
und in Ringe schneiden. • Den Spinat verlesen und in kochendem Wasser kurz blanchieren. • Alle Zutaten auf einer oder zwei großen Platten hübsch und bunt anrichten. Die
Dips in kleinen Schälchen dazustellen. • Die
Sauce anrühren. • Eine elektrische Pfanne
oder eine große normale Pfanne auf einem
starken Rechaud oder auf einer elektrischen
Einzelplatte in die Mitte des Tisches stellen.
Die Hitze auf etwa 225° einstellen. •
1 Eßlöffel Öl in der Pfanne erhitzen, 1/3 des
Fleisches kurz anbraten, dann an den Rand
der Pfanne schieben. 1/3 vom vorbereiteten
Gemüse in die Pfanne geben und unter stän-
digem Rühren kurz rösten, dann 1/3 der
Sauce darübergießen, alles gut mischen und

4–5 Minuten garen lassen. • Mit dem Rest
von Fleisch, Gemüse und Sojasauce verfährt
man ebenso.

So wird angerichtet: Den Pfanneninhalt jeweils auf den einzelnen Tellern verteilen und
mit den verschiedenen Dipsaucen verspeisen.

Das paßt dazu: Mixed Pickles und Mondfest-
Salat (Rezept Seite 47).

> **Mein Tip** Versuchen Sie das Su-
> kiyaki auch einmal mit Hühnerfleisch
> oder mit Fischfilet.

Chrysanthemen-Feuertopf

Zu Zua Kuo
Bild Seite 37

Schon die berühmten chinesischen Dichter
Su Tung Pho und Tao Yen Ming haben Lobeshymnen auf die Chrysantheme gesungen.
Im Frühling kann man die Keimlinge, im
Sommer die Blätter, im Herbst die Blüten
und im Winter die Knollen essen. Lassen Sie
sich bei diesem Feuertopf von Chrysanthemenblüten und -blättern bezaubern.

Zutaten für 6–8 Personen:
*100 g Glasnudeln · je 250 g Schweinefilet,
Rinderfilet, Hühnerbrust, Rinderleber,
Fischfilet, Krabben (tiefgefroren oder aus der
Dose), Chinakohl und Bambussprossen ·
1 Stange Lauch/Porree · Blütenblätter und
zarte grüne Blätter von etwa 2 Chrysanthemen*

Der Chrysanthemen-Feuertopf mutet wie eine ▷
festliche Fondue mit exquisiten Zutaten an. Rezept
Seite 35

*Für die Sauce: 3 Eier · ¹/₂ Tasse Sojasauce ·
¹/₂ Tasse Reiswein oder Sherry · 1 Eßl.
Sesamöl
Zum Dippen: Tomatensauce · Chilisauce ·
Senfsauce · süßsaure Sauce · Soja-Essig-
Sauce (Rezepte für die Saucen auf den Seiten
60–62) · Sambal Oelek (siehe besondere
chinesische Zutaten Seite 64)
Für den Feuertopf: 2 l Hühnerbrühe (Rezept
Seite 59)*

● Vorbereitungszeit: 40 Minuten

<u>Das wird vorbereitet:</u> Die Glasnudeln 30 Mi-
nuten in einer großen Schüssel in kochendheißem Wasser einweichen, abtropfen lassen
und in etwa 10 cm lange Stücke schneiden. •
Die verschiedenen Fleischsorten am besten
schon beim Einkauf in ganz dünne Scheiben
schneiden lassen. Ist das Fleisch noch im
Ganzen, dann 1 Stunde ins Gefrierfach
legen.• Eiskalt und hart läßt es sich gut mit
dem Allesschneider (Schneidmaschine) in
Scheiben und dann in Streifen von 3×7 cm
schneiden.• Tiefgefrorene Krabben auftauen,
Dosenkrabben abtropfen lassen.• Den Chinakohl und den Lauch waschen, halbieren und
in feine Streifen, die Bambussprossen in
feine Scheiben schneiden. • Die Chrysanthemen waschen, die Blütenblätter und einige
zarte grüne Blätter abzupfen und abtropfen
lassen. • Alle Zutaten getrennt in Schüssel-
chen oder auf einer großen Platte anrichten. •
Für die Sauce die Eier verquirlen, mit der
Sojasauce, dem Reiswein oder dem Sherry
und dem Sesamöl gut mischen und für jeden
Gast eine Schale davon bereitstellen. Die
verschiedenen Dips in kleine Schüsseln
geben.

<u>So wird's gemacht:</u> Die Hühnerbrühe in der
Küche erhitzen, in einen Fonduetopf oder

ein anderes feuerfestes Gefäß gießen und auf
einem Rechaud bei Tisch am Kochen halten. • Zuerst beliebig viele Blätter von Chrysanthemenblüten und grüne Blätter als Ge-
schmackszutat in die Brühe geben. • Bei uns
nimmt man sich nun mit den Stäbchen
irgendein Stück von den vielen Zutaten, legt
es in einen speziellen Drahtlöffel und hält es
in die Brühe, bis es gar ist. Man kann aber
dazu auch gut eine Fonduegabel benützen. •
Jeder sucht selbst aus, was er essen will und
in welcher Reihenfolge es ihm am besten
schmeckt. • Zum Schluß werden die Glasnudeln mit den übriggebliebenen Zutaten und
der Brühe 1 Minute gekocht und gegessen.

Variante 1 – Karpfen-Feuertopf
Statt der verschiedenen Fleischsorten nur das
Fleisch von 1 Karpfen mit verschiedenen
Gemüsesorten im Feuertopf garen.

Variante 2 – Mongolischer Feuertopf
Shua Yang Jou
Für diesen, aus der Mongolei stammenden
Feuertopf nehmen Sie am besten Lamm-
fleisch von der Keule und der Schulter, in
hauchdünne Scheiben geschnitten. 1¹/₂ kg
reichen für 6–8 Personen. Je nach Jahreszeit
kann man verschiedenes Gemüse dazu servieren. Das Rezept ist sonst genauso wie
beim Chrysanthemen-Feuertopf.

Mein Tip Die Kombination von
Fleisch und Fisch ist für Europäer etwas ungewohnt. Versuchen Sie sie
aber trotzdem einmal, es wird Ihnen
sicher ausgezeichnet schmecken.

◁ Sorgfalt und Liebe zum Detail erfordern die Reishäppchen in Seetang, aber ihr Genuß entschädigt
für die verwandte Mühe. Rezept Seite 19

Feuertopf von himmlischen Göttern

Sin Sun Ro

Dieser Feuertopf aus Korea ist eine Delikatesse, die in der Reihe der Gesellschaftsessen
ihren festen Platz hat. Die bunten, teils rohen, teils halbgaren Zutaten sehen so hübsch
aus, daß schon ihr Anblick den Appetit an-
regt. Sie werden in Fleischbrühe auf dem
Tisch fertiggegart. Traditionsgemäß benützt
man einen Feuertopf dazu. Sie können stattdessen aber auch eine tiefe elektrische
Pfanne oder einen Fonduetopf nehmen.

● Vorbereitungszeit: 1 Stunde

Zutaten für 6–8 Personen:
500 g Rinderfilet · 6 chinesische, braune
getrocknete Pilze (ersatzweise Steinpilze) ·
$1/2$ junge Gurke · $1/2$ Teel. Salz · 1 Karotte ·
1 Rettich · 1 Stange Lauch/Porree · 100 g
tiefgefrorene Krabben · 200 g Kalbsleber ·
250 g Rotbarsch- oder Kabeljaufilet · 1 Eßl.
Schnittlauch · 1 Teel. Reiswein · 1 Teel.
Sojasauce · 1 Eßl. Speisestärke · 100 g
Tatar · 5 Eier · je 1 Prise Salz und Pfeffer ·
1 Tasse Mehl · 2–3 Eßl. Öl
Für die Marinade: 1 Knoblauchzehe · 2 Eßl.
Sojasauce · 2 Eßl. Reiswein oder Sherry ·
1 Teel. Zucker
Zum Kochen: 6 Tassen Rindfleischbrühe
(Rezept Seite 59)
Zum Garnieren: 100 g Walnußkerne ·
Eierkaros aus 2 Eiern
Pro Person etwa 600 Kalorien/2500 Joule

Das wird vorbereitet: Das Rinderfilet in
dünne Scheiben schneiden. • Für die Marinade die Knoblauchzehe schälen, fein hacken
und mit den übrigen Marinadezutaten mischen. Über die Rinderfiletscheibchen gießen
und zugedeckt beiseite stellen. • Die Pilze gut
waschen und in $1/2$ Tasse warmem Wasser
30 Minuten einweichen, dann entstielen und
halbieren. (Frische Steinpilze waschen, putzen und vierteln.) • Die Gurke waschen, ungeschält in Ringe schneiden und leicht salzen.
Die Karotte schälen und zu kleinen Blumen
schneiden (siehe Schneidetechniken Seite 10).
Den Rettich schälen, in 5 cm lange Stäbchen schneiden und leicht salzen. Den Lauch
waschen und diagonal in feine Scheiben
schneiden. • Die tiefgefrorenen Krabben in
kochendem Wasser blanchieren und abtropfen lassen. Die Leber und das Fischfilet in
dünne Scheiben schneiden. • Den Schnittlauch fein hacken, mit dem Reiswein, der Sojasauce und der Speisestärke unter das Tatar
mischen und kirschgroße Kügelchen daraus
formen. • Die Eier verquirlen und mit Salz
und Pfeffer würzen. • Die Leberscheiben, die
Fischfiletscheiben und die Tatarkugeln zuerst
in Mehl, dann in den Eiern wenden. Das Öl
in der Pfanne erhitzen und alles unter häufi-
gem Rühren goldgelb braten. Die gebratene
Leber und das Fischfilet in mundgerechte
Stücke schneiden. Die Walnußkerne mit kochendem Wasser übergießen und die braune
Haut abziehen. • Die 2 Eier leicht salzen, gut
verrühren und mit wenig Öl in der Pfanne
2 dünne Omeletten braten. Daraus 1 cm
große Karos schneiden. · Die Walnußkerne
und die Eierkaros beiseite stellen. · Alle
diese vorbereiteten Zutaten gruppenweise in
einem Fondue- oder einem anderen feuerfe-
sten Topf möglichst schön anrichten und mit
Walnüssen und Eierkaros garnieren. Die ab-
geschmeckte, kochendheiße Rindfleischbrühe vorsichtig zugießen und alles bei Tisch
vollends garkochen.

So mögen wir Geflügel

Hühner- und Entengerichte sind bei den Chinesen besonders beliebt. Aus einem Huhn zaubern sie die verschiedensten Leckerbissen und die »Peking-Ente« mit ihrer köstlichen Haut ist als exklusive Delikatesse auf der ganzen Welt bekannt. Bei uns auf dem Lande sagt man: »Wenn der Schwiegersohn kommt, wird ein Huhn geschlachtet«. Der Schwiegersohn ist also ein Ehrengast.

Gebratenes Huhn mit Walnüssen

Hodo Zapze

500 g tiefgefrorenes Hühnerbrustfilet ·
6 große Champignons · 100 g Walnuß-
kerne · 2 Eßl. Öl
Für die Marinade: ¹/₂ Stange Lauch/Porree ·
2 Eßl. Sojasauce · 2 Eßl. Reiswein · 1 Teel.
Speisestärke · ¹/₂ Teel. Zucker · je 1 Prise
Salz und Pfeffer
Zum Garnieren: 100 g Lachsschinken ·
2 Eßl. Petersilie oder Schnittlauch
Pro Person etwa 350 Kalorien/1450 Joule

● Zubereitungszeit: 20 Minuten

So wird's gemacht: Das Hühnerbrustfilet auftauen lassen und in 1 cm breite und 3–4 cm lange Streifen schneiden. • Für die Marinade den Lauch waschen, halbieren, fein schneiden und mit den anderen Marinadezutaten mischen. Alles über das Hühnerfleisch gießen. • Die Champignons waschen und in dünne Scheiben schneiden. • Den Lachsschinken, die Petersilie oder den Schnittlauch fein hacken und zugedeckt beiseite stellen. • Die Walnußkerne halbieren, mit kochendem Wasser übergießen und die braune Haut abziehen. • Das Öl in der Pfanne erhitzen. Die Walnußhälften, das Hühnerfleisch und die Champignons 2 Minuten pfannenrührenbraten (siehe Gararten Seite 12). Den Lachsschinken und die Petersilie oder den Schnittlauch fein hacken und darüberstreuen.

Das paßt dazu: Salat Chung Chu (Rezept Seite 15).

Hähnchen mit Wasserkastanien

Dak Tui Gim

1 zartes Brathähnchen · 1–2 Eßl. Öl ·
1 Tasse Ananasstücke · ¹/₂ Tasse
Wasserkastanien aus der Dose · ¹/₂ Tasse
tiefgefrorene Erbsen · 1 Teel. Speisestärke
Für die Sauce: ¹/₂ Stange Lauch/Porree ·
1 Stückchen frische Ingwerwurzel · 2 Eßl.
Reiswein · 3 Eßl. Sojasauce ·
¹/₂ Tasse Ananassaft
Pro Person etwa 200 Kalorien/850 Joule

● Zubereitungszeit: 50–60 Minuten

So wird's gemacht: Das Hähnchen in mundgerechte Stücke teilen. Das Öl in einem Schmortopf erhitzen. Die Hähnchenstücke darin von allen Seiten anbraten, bis sie braun sind. • Für die Sauce den Lauch der Länge nach halbieren, waschen und in feine Ringe schneiden. Die Ingwerwurzel schälen und fein hacken. • Mit den übrigen Saucenzutaten mischen und über die Hähnchenstücke geben. Zugedeckt bei schwacher Hitze etwa 30–40 Minuten schmoren. • Die Ananasstükke, die abgetropften Wasserkastanien und die Erbsen zugeben. Alles noch einmal erhitzen und 5 Minuten ziehen lassen. Zuletzt mit der mit wenig kaltem Wasser angerührten Speisestärke binden und nochmals aufkochen lassen.

Variante – Hähnchen im Gemüsegarten
Bild Seite 56
Das Hähnchen mit beliebigem Gemüse wie im obigen Rezept garen.

Truthahn mit Mangos

Zil Myun Zo Zim

6 schwarze getrocknete Morcheln · 500 g Truthahnschnitzel · 6 Silberzwiebeln aus dem Glas · 2 Mangofrüchte · 1–2 Eßl. Öl Für die Marinade: 2 Eßl. Reiswein · 2 Eßl. Sojasauce · 1 Teel. Zucker · Saft von 1 Zitrone · 2 Eßl. Mangochutney
Pro Person etwa 190 Kalorien/800 Joule

● Zubereitungszeit: 30 Minuten

So wird's gemacht: Die Morcheln 15 Minuten in warmem Wasser einweichen; dann waschen, die zähen Teile entfernen und halbieren. • Die Truthahnschnitzel in Streifen schneiden. • Alle Zutaten für die Marinade mischen, über das Fleisch gießen und 10 Mi-

nuten stehenlassen. • Die Silberzwiebeln abtropfen lassen. Die Mangos halbieren und das Innere herausstechen. • Die Morcheln, die Mangos und die Silberzwiebeln in etwas Öl 1 Minute braten, an den Rand der Pfanne schieben. Das Truthahnfleisch 2 Minuten pfannenrührenbraten (siehe Gararten Seite 12), dann alles vermischen. Mit Pinienkernen bestreuen, heiß servieren.

Das paßt dazu: gebratene Bohnenschoten (Rezept Seite 46).

Ente in Meister-Marinade

Ori Zim

1 Ente · braune Meister-Marinade (Rezept Seite 60)
Pro Person etwa 800 Kalorien/3350 Joule

● Zubereitungs- und Garzeit: 2 Stunden und 45 Minuten

So wird's gemacht: Die Ente gut waschen. 1 Minute in kochendes Salzwasser tauchen und abtropfen lassen. Das Fett am hinteren Teil der Ente abschneiden. • Genügend Meister-Marinade in einem großen Schmortopf erhitzen, die Ente hineinlegen und kurz aufkochen lassen. Dann bei kleiner Hitze zugedeckt 1 Stunde garen. • Den Topf vom Feuer nehmen, die Ente umdrehen und 1 Stunde stehenlassen. • Nun noch einmal $1/2$ Stunde bei kleiner Hitze kochen lassen. Dann zerlegen und in der ursprünglichen Form wieder zusammensetzen. (Schneidetechniken Seite 11).

Das paßt dazu: Mangochutney, Senfsauce (Rezepte Seite 59 und 62) und Soja-Zitronen-Sauce (Rezept Seite 61).

Peking-Ente

Pei Ching Kao Ya
Bild Seite 55

Dies ist eine der bekanntesten festlichen Delikatessen. Für die Zubereitung, die sehr viel Geschick und Übung erfordert, gibt es eine Unmenge von Methoden und Geheimtips. Deshalb wagen sich selbst Chinesen kaum daran und essen die Peking-Ente lieber in einem guten Restaurant. Versäumen auch Sie diese Gelegenheit nicht, falls Sie einmal nach Peking kommen sollten! Für neugierige und experimentierfreudige Köche beschreibe ich hier eine verhältnismäßig einfache Methode der Zubereitung.

1 nicht zu fette Ente (etwa 1,5–2 kg) ·
^{1}/$_2$ Tasse warmes Wasser · 4 Eßl. Honig ·
3 Eßl. milder Weinessig · 2 Teel. Sesamöl ·
1 Eßl. Reiswein
Für die Sauce: ^{1}/$_2$ Tasse Hoisinsauce (siehe
besondere chinesische Zutaten Seite 63) oder
je ^{1}/$_4$ Tasse Sojasauce und Reiswein · 4 Eßl.
Wasser · 1 Eßl. Zucker · 1 Teel. Sesamöl ·
etwas Chilisauce oder 1 Prise Pfeffer
Als Beilage: 4 Frühlingszwiebeln oder
1 Stange Lauch/Porree · 24 Mandarin-
Pfannkuchen
Pro Person etwa 900 Kalorien/3750 Joule

● Vorbereitungs- und Ruhezeit: etwa
  12 Stunden
● Zubereitungszeit: 2 Stunden

Das wird vorbereitet: Die Ente gut waschen und 1 Minute in kochendes Salzwasser tauchen. Gut abtrocknen und dabei kräftig massieren, damit sich die Haut etwas vom Fleisch löst. Einen 50 cm langen Bindfaden um den Hals binden und unter den Flügeln durchziehen. ● Das Wasser mit dem Honig, dem Essig, dem Sesamöl und dem Reiswein mischen und die Ente damit einpinseln. An einem kühlen und luftigen Ort aufhängen. ● Nach 1 Stunde nochmals einpinseln und so über Nacht aufgehängt trocknen lassen. ● Die Saucenzutaten in einer kleinen Pfanne mischen, aufkochen und in vier Schälchen verteilen. ● Die Zwiebeln in 7 cm lange Stücke schneiden, dann in eiskaltem Wasser in den Kühlschrank stellen, bis sich die eingeschnittenen Enden nach außen rollen. ● Man kann stattdessen auch Lauch in feine Streifen schneiden.

So wird's gemacht: Den Backofen auf 200° vorheizen. ● Die Ente mit der Brust nach oben in eine große Bratenpfanne legen und etwa 1 Stunde im Backofen braten. ● Umdrehen und noch einmal 30 Minuten braten. Dabei öfters mit dem Honig-Essig-Sesamwasser bestreichen. ● Herausnehmen, die Haut vorsichtig abziehen und diese ebenso wie das Fleisch in mundgerechte Stücke schneiden.

So wird angerichtet: Mit heißen Mandarin-Pfannkuchen, (Rezept Seite 24) den Frühlingszwiebeln und der Sauce auftragen. Jeder legt sich 1 Pfannkuchen auf den Teller, gibt zuerst ein wenig von den Frühlingszwiebeln, dann Sauce, schließlich Entenhaut und -Fleisch darauf und rollt den Pfannkuchen zusammen.

Berühmtes mit Fisch und Meeresfrüchten

An den Küsten Chinas, auf der Halbinsel Korea und im Inselreich Japan sind Fische und Meeresfrüchte natürlich ein Volksnahrungsmittel, das in vielen Variationen zubereitet wird. Neben dem frischen gibt es noch den getrockneten und den gesalzenen Fisch. Die Japaner essen Fischfilet sogar roh. Bei uns werden frische Fische oft ganz einfach in Wasser gekocht und mit einer Dipsauce gegessen. Den typischen Fischgeschmack verfeinern wir durch Beigabe von Ingwer, Zwiebeln, Reiswein und Zitronensaft.

Süßsaurer Fisch mit Morcheln

Tang Tzu Yü

6 chinesische, schwarze getrocknete Morcheln · 500 g Fischfilet (Kabeljau, Seelachs, Rotbarsch) · 1 Zwiebel · 1–2 Eßl. Öl · 2–3 Eßl. Speisestärke · je 1 Prise Salz und Pfeffer
Für die Marinade: 1 Stückchen frische Ingwerwurzel · 1 Eßl. Sojasauce · 1 Eßl. Reiswein · 1 Eßl. Zitronensaft
Für die Sauce: 2 Eßl. Sojasauce · 2 Eßl. Reiswein · 2 Eßl. milder Weinessig · 2 Eßl. Tomatenketchup · 2 Eßl. Zucker
Pro Person etwa 220 Kalorien/920 Joule

- ● Vorbereitungszeit: 20 Minuten
- ● Zubereitungszeit: 20 Minuten

Das wird vorbereitet: Die Morcheln in warmem Wasser 20 Minuten einweichen, dann waschen und die zähen Teile entfernen. • Das Fischfilet kalt abspülen, abtrocknen und in 3 cm große Würfel schneiden. • Für die Marinade die Ingwerwurzel schälen und fein hakken, mit den anderen Zutaten für die Marinade mischen. Über das Fischfilet gießen und etwa 10 Minuten stehenlassen. • Die Zwiebel schälen, halbieren und in feine Scheiben schneiden. • Die Saucenzutaten mischen.

So wird's gemacht: Die Fischstücke abtropfen lassen, dann in der Speisestärke wenden. • Etwas Öl in der Pfanne erhitzen, die Fischstücke auf beiden Seiten knusprig braten, abtropfen lassen und warm stellen. • Nochmals etwas Öl erhitzen, die Zwiebelscheiben glasig braten und die Morcheln zufügen. • Die Sauce darübergießen und 2 Minuten kochen lassen. • Mit Salz und Pfeffer abschmecken und mit der kalt angerührten Speisestärke binden. Aufkochen lassen, über die Fischwürfel geben und heiß anrichten.

Das paßt dazu: Tomatensauce (Rezept Seite 62).

> **Mein Tip** Sehr gut schmeckt auch süßsaure Hühnerleber mit Morcheln.

Karpfen à la Konfuzius

Li Yü

Der Karpfen – bei uns »Li« genannt – darf in China bei keiner festlichen Mahlzeit fehlen. Er symbolisiert Reichtum und Kraft. Als Konfuzius seinen ersten Sohn bekam, schickte ihm der König einen Karpfen. Deshalb nannte er seinen Sohn Li.

1 Karpfen (1–1,5 kg) · 2 Eßl. Öl
Für die Marinade: 3 Eßl. Sojasauce · 3 Eßl.
Reiswein · Saft von 1 Zitrone
Für die Sauce: 1 Stückchen frische
Ingwerwurzel · 1 Knoblauchzehe · 2 rote
Paprikaschoten · $^1/_2$ Stange Lauch/Porree ·
2 Eßl. Sojabohnenpaste (siehe besondere
chinesische Zutaten Seite 65) · 2 Eßl.
Reiswein oder trockener Sherry · $^1/_2$ Tasse
Hühnerbrühe (Rezept Seite 59)
Zum Garnieren: 2 Eßl. Sesamsamen · 2 Eßl.
gehackte Petersilie · etwas gehackte
Paprikaschote
Pro Person etwa 300 Kalorien/1250 Joule

● Zubereitungszeit: etwa 40 Minuten

So wird's gemacht: Den Karpfen gut waschen
und abtrocknen. Die obere Seite $^1/_2$ cm tief
diagonal einkerben (siehe Schneidetechniken
Seite 10). • Alle Zutaten für die Marinade
mischen, den Fisch von außen und innen damit gründlich einreiben und 10 Minuten stehenlassen. • Für die Sauce die Ingwerwurzel
und die Knoblauchzehe schälen und fein
hacken. Die Paprikaschoten vierteln, Rippen
und Kerne entfernen, waschen und ebenfalls
fein hacken. Einen Teil davon beiseite stellen. Den Lauch waschen und in feine Ringe
schneiden. • Das kleingeschnittene Gemüse
mit den anderen Saucenzutaten mischen.

So wird's gemacht: Das Öl in einer großen
Kasserolle erhitzen und den Karpfen auf jeder Seite 1–2 Minuten anbraten. Die Sauce
über den Karpfen und besonders in die Einkerbungen gießen. Zugedeckt 10 Minuten
bei kleiner Hitze schmoren.

So wird angerichtet: Den Karpfen auf einer
heißen Platte mit der Sauce übergießen. Mit
dem Sesamsamen, der Petersilie und den Pa-
prikastückchen bestreuen und besonders in
den Einkerbungen verzieren.

Mein Tip Der Karpfen schmeckt
auch sehr gut, wenn man ihn nach dem
Braten mit der Sauce bestreicht und
im Backofen in Alufolie bei 200° noch
10 Minuten garen läßt.

Hummer mit Chilisauce
La Zao Sia

2–3 l Wasser · 2 Eßl. Salz · 250 g frischer
ungeschälter Hummer · 1 Eßl. Öl · 100 g
Tatar · 2 Eier
Für die Sauce: 1 Stückchen frische
Ingwerwurzel · 1 Knoblauchzehe · 2 Eßl.
Sojasauce · 2 Eßl. Reiswein · $^1/_2$ Teel. Chili-
oder einige Tropfen Tabascosauce · 1 Teel.
Currypulver · 1 Prise Pfeffer
Pro Person etwa 120 Kalorien/500 Joule

● Vorbereitungszeit: 20 Minuten
● Zubereitungszeit: 15 Minuten

Das wird vorbereitet: In einem genügend
großen Topf Wasser mit dem Salz zum Kochen bringen. Den Hummer mit dem Kopf
voran schnell ins kochende Wasser tauchen,
4 Minuten sprudelnd kochen und weitere
4 Minuten ziehen lassen. Im Topf lassen, bis
das Wasser abgekühlt ist.

So wird's gemacht: Den Hummer schälen,
dabei den Darm entfernen und das Fleisch in

Stücke schneiden. • Die Ingwerwurzel und die Knoblauchzehe schälen, fein hacken und mit den übrigen Saucenzutaten mischen. • Das Öl in einer Pfanne erhitzen, das Tatar 1 Minute darin anbraten. Die Hummerstücke zugeben und ebenfalls 1 Minute braten. Die Sauce dazugießen und alles noch 2 Minuten schmoren. • Die Eier verquirlen, darübergießen und stocken lassen.

Das paßt dazu: alle Arten von Reis (Rezepte auf den Seiten 21 und 22) und als Nachtisch Obst.

ben und die Zucchinischeiben in den eiskalten Teig tauchen und portionsweise im heißen Öl goldbraun und knusprig backen. Auf Küchenkrepp abtropfen lassen.

Das paßt dazu: Soja-Zitronen-Sauce (Rezept Seite 61).

Mein Tip Versuchen Sie auch fritiertes Fischfilet, fritiertes Gemüse, fritiertes Fleisch. Alles in mundgerechte Stücke schneiden und dann fritieren.

Fritierte Krabben mit Zucchini

Tempura

Dies ist eine berühmte japanische Spezialität.

500 g tiefgefrorene Krabben oder Garnelen · 1 mittelgroße Zucchini
Für den Teig: 1 Eigelb, ¹/₂ Tasse eisgekühltes Mineralwasser · ¹/₂ Tasse Mehl · 1 Prise Salz · 1 Prise Backpulver
Zum Fritieren: geschmacksneutrales Öl oder Spezialöl (Rezept Seite 12)
Pro Person etwa 150 Kalorien/630 Joule

● Zubereitungszeit: 30 Minuten

So wird's gemacht: Die Krabben antauen lassen. • Die Zucchini waschen und in ¹/₂ cm dicke Scheiben schneiden. • Die Teigzutaten in einer kleinen Schüssel verquirlen und die Schüssel in eine größere stellen, die mit Eiswürfeln gefüllt ist. So bleibt der Teig ständig eiskalt. • Das Fritieröl erhitzen. • Die Krab-

Fisch in Zitronensauce

Seng Sun Zo Rem

500 g Fischfilet · 1–2 Eßl. Öl · ¹/₂ Tasse Fleischbrühe
Für die Marinade: ¹/₂ Tasse Reiswein
¹/₂ Tasse Zitronensaft · 1 Eßl. Zucker · 2 Eßl. Mangochutney
Pro Person etwa 120 Kalorien/500 Joule

● Zubereitungszeit: 15 Minuten

So wird's gemacht: Das Fischfilet in 2 cm große Würfel schneiden. • Alle Zutaten für die Marinade mischen, über den Fisch gießen und 5–10 Minuten stehen lassen. • Das Öl in einer Pfanne erhitzen. Die Fischstücke abtropfen lassen und auf jeder Seite 1–2 Minuten braten. Warm stellen. • Die übrige Marinade mit der Fleischbrühe mischen, aufkochen, mit Speisestärke binden und heiß zum Fisch servieren.

Gemüse nach Art des Landes

In Asien ißt man viel mehr Gemüse als in Europa. Das liegt nicht nur daran, daß Fleisch sehr teuer ist, sondern vor allem an den alten Regeln der buddhistischen Religion. Dabei ißt man nicht nur Pflanzen, die auf der Erde wachsen, sondern auch Meerespflanzen wie Algen und Tang.

Meistens findet man in einem Gericht nicht nur eine, sondern mehrere Gemüsesorten. Man gart sie entweder alle zusammen, oder – wenn sie unterschiedlich lange Garzeiten haben – der Reihe nach. Das härteste Gemüse nimmt man dann natürlich zuerst. Alles soll nicht zermatscht, sondern knackig und frisch sein.

Gebratene Bohnenschoten

Kong Bokum

*500 g frische grüne Bohnenschoten ·
¹/₂ Stange Lauch/Porree · 1 Eßl. Öl ·
1 Teel. Zucker · 2 Eßl. Reiswein oder
Sherry · 2 Eßl. Sojasauce · je 1 Prise Salz
und Pfeffer*
Pro Person etwa 60 Kalorien/250 Joule

● Zubereitungszeit: 10 Minuten

So wird's gemacht: Die Bohnen putzen, waschen und in 4 cm lange Stücke schneiden. Den Lauch waschen und in feine Ringe schneiden. • Das Öl in einer Pfanne sehr heiß werden lassen. Die Bohnen 1 Minute braten, dann den Lauch, den Zucker, den Wein und die Sojasauce zugeben. 3 Minuten schmoren. Mit Pfeffer und Salz abschmecken und sofort servieren.

Chinesische Gemüsepfanne

Dsching Tao Song Dong
Bild Seite 28

Alle Zutaten sollten bereitliegen, bevor Sie mit dem Garen beginnen, da alles sehr rasch gehen muß.

*12 getrocknete chinesische Pilze · ½ l heißes
Wasser · 4 Frühlingszwiebeln · 250 g Staudensellerie ohne Grün · 300 g Möhren ·
300 g Zucchini · 1 rote Paprikaschote ·
1 kleine Dose Bambusschößlinge · 100 g
Sojabohnenkeimlinge · 1 Knoblauchzehe ·
50 g Ingwerwurzel · 4 Eßl. Erdnußöl · ½ Teel.
Salz · 1 Prise Zucker · 3 Eßl. Sojasauce ·
schwarzer Pfeffer*

● Zubereitungszeit: etwa 1 Stunde

So wird's gemacht: Die Pilze in dem Wasser 30 Minuten quellen lassen, dann die Stiele etwas abschneiden und die Köpfe ausdrükken. Die Quellflüssigkeit aufbewahren. • Alle Gemüse gründlich putzen und waschen, die Bambusschößlinge in einem Sieb ablaufen lassen. • Die Frühlingszwiebeln und den Staudensellerie in 3 cm lange Stifte und diese in feine Längsstreifen schneiden. Die Möhren in Stifte, die Zucchini in dünne Scheiben schneiden (dicke Früchte vorher halbieren). Die Paprikaschoten und die Bambusschößlinge in Streifen schneiden. • Die Knoblauchzehe schälen und zerdrükken, die Ingwerwurzel schälen und das Fruchtfleisch feinhacken. • Das Öl im Wok (oder einer großen Pfanne) erhitzen, den Knoblauch und den Ingwer darin kurz glasig werden lassen. • Die Frühlingszwiebeln und den Staudensellerie hinzufügen und unter ständigem Rühren bei starker Hitze etwa 2 Minuten braten. • Die eingeweichten Pilze, die Möhren, die Zucchini und die Paprikaschote dazugeben und 3 bis 4 Minuten braten. • ⅛ l der Pilzflüssigkeit dazugießen und alles etwa 5 bis 6 Minuten braten. • Mit dem Salz, dem Zucker, der Sojasauce und frisch gemahlenem Pfeffer sehr pikant abschmekken. • Zuletzt die Bambusschößlinge und die Sojabohnenkeimlinge zufügen und weitere 2 bis 3 Minuten garen. Sofort servieren.

Süßsaure Broccoli

Tang Tschu Tzie Lan

400 g Broccoli · 1–2 Teel. Salz · 1 rote Paprikaschote · 1–2 Eßl. Öl
Für die Sauce: 2 Teel. Speisestärke · ¹/₂ Tasse Rindfleischbrühe (Rezept Seite 59) · 2 Eßl. Sojasauce · 2 Eßl. Tomatensauce (Rezept Seite 62) · 3 Eßl. Weinessig · 3 Eßl. Zucker
Pro Person etwa 40 Kalorien/170 Joule

● Zubereitungszeit: 15 Minuten

So wird's gemacht: Die Broccoli 1 Minute blanchieren und in 3 cm lange Stücke schneiden. • Die geputzte Paprikaschote vierteln, in 1 cm dicke Streifen schneiden. • Die Speisestärke mit wenig kaltem Wasser anrühren und mit allen Zutaten für die Sauce mischen. • Das Öl in einer Bratpfanne erhitzen. Die Paprikaschote salzen und 1 Minute darin braten. Die Broccoli zugeben und 1 weitere Minute braten. Die Sauce darübergießen und rühren, bis sie angedickt ist. Abschmecken und heiß servieren.

Mondfest-Salat

Gyo Za Tze

Unser Mondfest wird im Herbst gefeiert und ist mit dem europäischen Erntedankfest zu vergleichen. Wir danken dabei den Göttern und den Ahnen nicht allein für die ertragreiche Ernte, sondern auch für die nicht endende Kette alles Lebendigen. Der Mondfest-Salat wird nach uraltem Rezept aus mindestens 6 verschiedenen Zutaten bereitet.

1 kleine Sellerieknolle · 1 Teel. Salz · 1 Birne · 1 Eßl. Zitronensaft · 1 mittelgroße Karotte · 1 kleiner Rettich · 100 g gekochter Schinken in Scheiben · ¹/₂ frische Gurke oder 4 große Gewürzgurken
Für die Sauce: 1 Eßl. Sojasauce · 1 Eßl. Reiswein · 2 Eßl. milder Weinessig · 1 Eßl. scharfer Senf · 1 Eßl. Zucker · 1 Teel. Sesamsamen oder Pinienkerne · 1 Prise Glutamat
Pro Person etwa 100 Kalorien/420 Joule

● Vorbereitungszeit: 15 Minuten
● Zubereitungszeit: 10 Minuten

Das wird vorbereitet: Die Sellerieknolle waschen, schälen und in Salzwasser garkochen, dann abkühlen lassen. • Die Birne schälen und mit dem Zitronensaft beträufeln. • Die Karotte und den Rettich schälen.

So wird's gemacht: Die gekochte Sellerieknolle, die Birne, den Schinken, die Karotte, den Rettich und die frische ungeschälte Gurke oder die Gewürzgurken in 3 cm lange feine Stäbchen schneiden. • Die Sauce anrühren und darübergießen. Alles gut mischen und gekühlt servieren.

Chop Suey

Chop Suey ist eine Mischung aus verschiedenen Gemüsesorten, die man je nach Jahreszeit beliebig variieren kann. Über die Entstehungsgeschichte dieses Gerichtes gibt es verschiedene Versionen. Eine davon sagt, es sei erstmals von chinesischen Botschaftsangehörigen in Amerika zubereitet worden, denen das dortige Essen Magenverstimmung bereitete.

*200 g gehacktes Rindfleisch · 1 Eßl.
Sojasauce · 1 Eßl. Reiswein · 1 Stückchen
Lauch/Porree · 6 chinesische schwarze
Morcheln · 50 g Glasnudeln · $^1/_2$ Teel. Salz ·
1 Tasse Sojabohnenkeimlinge (frisch oder aus
der Dose) · 2 Karotten · 1 Tasse
Bambussprossen · 1 Zwiebel · 1 grüne
Paprikaschote · $^1/_2$ Teel. Salz · 2 Eßl. Öl
Für die Sauce: 2 Eßl. Sojasauce · 2 Teel.
Sesamöl oder Pflanzenöl · 2 Eßl. Reiswein ·
1 Eßl. Sesamsamen · je 1 Prise Salz und
Pfeffer
Zum Garnieren: Eierstreifen (Rezept Seite 62)
Pro Person etwa 190 Kalorien/800 Joule*

● Zubereitungszeit: 30 Minuten

So wird's gemacht: Das Fleisch mit der Sojasauce und dem Reiswein mischen. • Den Lauch waschen, fein hacken und darunterrühren. Etwa 20 Minuten stehenlassen. • Die Morcheln in warmem Wasser 15 Minuten lang einweichen, dann waschen, die zähen Teile entfernen und kleinschneiden. • Die Glasnudeln in sprudelndem Salzwasser 1 Minute kochen, abschrecken und abtropfen lassen. • Die Sojabohnenkeimlinge gut waschen und die Bohnenschalen entfernen. Oder – falls sie aus der Dose sind – abtropfen lassen. • 1 Karotte schälen und mit den Bambussprossen in zündholzdünne Streifen schneiden. Die andere Karotte ebenfalls schälen, in kleine Blumen schneiden (siehe Schneidetechniken Seite 10) und beiseite legen. • Die Zwiebel in Ringe schneiden. Die Paprikaschote vierteln, Rippen und Kerne entfernen, waschen und in feine Streifen schneiden. • Die Sauce anrühren. • Immer wieder etwas Öl in einer Pfanne erhitzen und alle Zutaten der Reihe nach getrennt kurz braten. Anschließend in einen Topf geben. Zuletzt das Fleisch braten und alles salzen. Die Sauce über das Ganze gießen, kurz erhitzen und abschmecken.

So wird angerichtet: Das Gericht in eine vorgewärmte Schüssel füllen, mit Eierstreifen bestreuen und mit Karottenblumen verzieren.

Neun bunte Delikatessen

Gu Zol Pan

Auch dies ist eine koreanische Spezialität, die ursprünglich aus der Hofküche stammte. Wenn der König mit seinem Gefolge zum Jagen ging, wurde dieses Gericht mitgenommen. Es gibt dafür einen besonderen, perlmuttverzierten Gu-Zol-Pan-Lackkasten, was wörtlich übersetzt heißt: in 9 geteilte Platte. Sie können zum Anrichten einen großen Teller oder eine Kuchenplatte nehmen. Die Zutaten werden möglichst bunt gruppenweise geordnet.

*250 g Rinderfilet · 100 g Krabben (tiefge-
froren oder aus der Dose) oder Abalonen ·
$^{1}/_{2}$ Gurke oder 2 grüne Paprikaschoten ·
2 Karotten · 100 g frische Champignons ·
100 g Sojabohnenkeimlinge, frisch oder aus
der Dose oder Bambussprossen · $^{1}/_{2}$ Teel.
Salz · 2–3 Eßl. Öl · 4 Eier
Marinade für das Rinderfilet:
1 Knoblauchzehe · 2 Eßl. Sojasauce · 2 Eßl.
Reiswein · 1 Eßl. Zucker
Für den Pfannkuchenteig: $1^{1}/_{2}$ Tassen
Wasser · 1 Tasse Mehl · 1 Eiweiß · $^{1}/_{2}$ Teel.
Salz · wenig Öl*
Pro Person etwa 350 Kalorien/1450 Joule

● Zubereitungszeit: etwa 1 Stunde

So wird's gemacht: Das Rinderfilet in 4 cm
lange, dünne Streifen schneiden. Für die Marinade die Knoblauchzehe schälen und fein
hacken oder zerdrücken und mit den anderen
Zutaten für die Marinade mischen. Über das
Fleisch gießen und stehenlassen. • Die tiefgefroren Krabben etwas antauen
lassen, Dosenkrabben oder -Abalonen
abtropfen lassen. • Die gewaschene, ungeschälte Gurke oder die grünen Paprikaschoten – entkernt und gewaschen – und die ge-
schälte Karotte in 4 cm lange dünne Stäbchen schneiden. Die Champignons waschen,
abtropfen lassen und in dünne Scheiben
schneiden. • Frische Sojabohnenkeimlinge
gut waschen und dabei die Bohnenschalen
entfernen. Dosenkeimlinge gut abtropfen lassen. Oder die Bambussprossen in dünne
Scheiben schneiden. • Die Zutaten für den
Pfannkuchenteig verquirlen und mit einem
Spiegeleier-Ring Pfannkuchen von etwa 8 cm
Durchmesser bereiten. • Das Rinderfilet, die
Krabben und die Sojabohnenkeimlinge nacheinander mit wenig Öl pfannenrührenbraten
(siehe Gararten Seite 12).

So wird angerichtet: Die Pfannkuchen in die
Mitte einer Platte, die anderen Zutaten recht
bunt ringsherum anrichten. Beim Essen
nimmt man sich einen Pfannkuchen, bestreicht ihn mit etwas Dipsauce, legt sich von
allem etwas darauf, rollt ihn ein und ißt ihn
mit der Hand oder mit Stäbchen.

Das paßt dazu: Soja-Essig-Sauce (Rezept
Seite 60) und Senfsauce (Rezept Seite 62).

> **Mein Tip** Man kann je nach Jahres-
> zeit Gemüse, Fleisch und Meeres-
> früchte beliebig variieren. Gu Zol Pan
> eignet sich gut als Vorspeise bei einem
> festlichen Essen, zum kalten Buffet
> oder auch zum Picknick.

Suppen gehören zur Mahlzeit

Die Suppe wird bei uns meistens gleichzeitig mit dem Hauptgericht, bei einem festlichen Mahl sogar zum Schluß serviert. Die Grundlage einer chinesischen Suppe ist immer eine gute Fleisch-, Fisch- oder Hühnerbrühe. Von diesen Brühen haben wir stets einen größeren Vorrat eingefroren im Tiefkühlfach. Das ist eine große Erleichterung, die ich Ihnen zur Nachahmung empfehle.

Natürlich gibt es auch ganz besondere Delikatessen, deren Zubereitung einige Tage dauert, wie die Haifischflossen- oder die Schwalbennestersuppe. Hier in Europa kann man sie aber ohne Schwierigkeit in Dosen oder Gläsern kaufen.

Eierblumensuppe

Dan Hua Tang

2 Eier · 4 Tassen Hühnerbrühe (Rezept Seite 59) · je 1 Prise Salz und Pfeffer · 1 Teel. Sesamöl
Zum Bestreuen: 1 Eßl. Schnittlauch
Pro Person etwa 60 Kalorien/250 Joule

- Zubereitungszeit: 10 Minuten

So wird's gemacht: Die Eier verquirlen. • Die Hühnerbrühe zum Kochen bringen. • Die Eier dünn einfließen lassen und vom Herd nehmen. Mit Salz und Pfeffer abschmecken, mit dem Sesamöl beträufeln. • Den Schnittlauch fein hacken und darüberstreuen.

Sauer-scharfe Suppe

Suon La Tang
Bild Seite 56

4 chinesische, braune getrocknete Pilze · 150 g mageres Rindfleisch · 1 Tasse Bambussprossen · 1/2 Stange Lauch/Porree · 20 g Glasnudeln · 2 Eßl. Öl · 4 Tassen Hühnerbrühe (Rezept Seite 59) · 3 Eßl. Sojasauce · 1 Eßl. Reiswein · 1 Eßl. milder Weinessig · 2 Eßl. Speisestärke · 2 Eier · je 1 Prise Salz und Pfeffer · gewürfelte rote Paprikaschoten · einige Tropfen Tabascosauce
Pro Person etwa 120 Kalorien/500 Joule

- Vorbereitungszeit: 30 Minuten
- Zubereitungszeit: 20 Minuten

Das wird vorbereitet: Die Pilze mindestens 30 Minuten in kochendheißem Wasser einweichen.

So wird's gemacht: Die Pilze waschen und entstielen. Die Pilze, das Fleisch und die Bambussprossen in feine Streifen schneiden. • Den Lauch waschen, der Länge nach halbieren und schräg ebenfalls in feine Streifen schneiden. Die Glasnudeln in kleine Stückchen schneiden. • Das Öl in einem Topf erhitzen. Das Fleisch, die Bambussprossen und den Lauch kurz pfannenrührenbraten (siehe Gararten Seite 12). Die Pilze und die Glasnudeln daruntermischen und kurz ziehen lassen. • Die Hühnerbrühe zugießen und alles zum Kochen bringen. • Die Sojasauce, den Reiswein, den Weinessig und die mit wenig kaltem Wasser angerührte Speisestärke zugeben und 1 Minute kochen lassen. Die Eier verquirlen und einfließen lassen. • Mit Salz, Pfeffer, Paprikawürfeln und einigen Tropfen Tabascosauce abrunden und heiß servieren.

Abalonensuppe

Bao Yu Tang

*200 g Abalonen aus der Dose ·
1 Knoblauchzehe · 1 Stückchen frische
Ingwerwurzel · 1 Eßl. Sojasauce · 1 Eßl.
Reiswein · 4 Spinatblätter · 4 Tassen
Hühnerbrühe (Rezept Seite 59) · je 1 Prise
Salz, Pfeffer und Glutamat
Zum Bestreuen: 1 Eßl. Petersilie*
Pro Person etwa 60 Kalorien/250 Joule

● Zubereitungszeit: 15 Minuten

So wird's gemacht: Die Abalonen abtropfen lassen und in ganz dünne, mundgerechte Scheiben schneiden. • Die Knoblauchzehe und die Ingwerwurzel schälen und fein hakken. Mit der Sojasauce und dem Reiswein mischen und über die Abalonen gießen. Etwa 10 Minuten stehenlassen. • Die Spinatblätter waschen und in feine Streifen schneiden. • Die Hühnerbrühe zum Kochen bringen, die Abalonen zugeben und gleich wieder vom Herd nehmen. • Den Spinat unterheben, einmal umrühren und mit Salz, Pfeffer und Glutamat abschmecken. • Die Petersilie fein hacken und darüberstreuen.

Mein Tip Abalonen dürfen Sie nicht lange kochen oder braten, sie werden sonst gummiartig zäh.

Wan-Tan-Suppe

Wan Tan Tang

Wan Tan nennt man bei uns Fleischklößchen, die von ganz dünnem Teig umhüllt sind. Sie ähneln ein wenig den italienischen Ravioli. Ursprünglich wurde diese Suppe in China als dicker Eintopf gegessen. Ich bringe Ihnen hier eine weniger üppige Variation.

*Für den Teig: $^1/_2$ Tasse Mehl · 1 Ei ·
1–2 Eßl. lauwarmes Wasser · 1 Prise Salz
Für die Füllung: 2 Eßl. Schnittlauch ·
50 g Tatar · 1 Teel. Sojasauce · 1 Teel.
Reiswein · 1 Teel. Zucker · 1 Teel. Speisestärke · je 1 Prise Salz und Pfeffer
Zum Bestreichen: 1 Eiweiß · 1 Teel. Speisestärke
Für die Suppe: 4 Tassen Hühnerbrühe
(Rezept Seite 59) · je 1 Prise Salz und Pfeffer
Zum Bestreuen: 1 Eßl. gehackter Schnittlauch*
Pro Person etwa 110 Kalorien/460 Joule

● Zubereitungszeit: 40 Minuten

So wird's gemacht: Das Mehl, das Ei, das Wasser und das Salz zu einem festen Teig verkneten. Hauchdünn ausrollen. Er muß so durchsichtig wie Seidenpapier sein (noch dünner als Strudelteig). Etwa 5 cm große Quadrate daraus schneiden. • Den Schnittlauch fein hacken. • Für die Füllung das Tatar, die Sojasauce, den Reiswein, den Zukker, die Speisestärke mischen und mit dem Salz und dem Pfeffer abschmecken. • Das Eiweiß mit der Speisestärke gut verrühren. • Je $^1/_2$ Teelöffel von der Füllung auf die Teigquadrate geben, die Kanten mit der Eiweiß-Speisestärke-Mischung bestreichen und gut zusammendrücken. Man kann verschiedene Formen versuchen. • Die Hühnerbrühe erhitzen. Die Fleischklößchen etwa 10 Minuten darin kochen lassen, bis sie oben schwimmen. • Mit dem gehackten Schnittlauch bestreuen, mit dem Salz und dem Pfeffer abschmecken und heiß servieren. • Die Füllung kann auch mit Hummer, Fisch, Schweinehackfleisch und verschiedenen Gemüsesorten zubereitet werden.

Variante – Wan-Tan-Suppe für Eilige

Den Fleischteig herstellen, kirschgroße Bällchen formen, in Mehl wenden, in ein verquirltes Ei tauchen und in die siedende Hühnerbrühe geben.

Kürbissuppe

Ho bak Kuk

6 chinesische, braune getrocknete Pilze · 100 g Hühnerbrustfilet · 1 Kürbis, etwa $^1/_2$ kg schwer · 1 Stange Lauch/Porree · 1 kleines Stückchen frische Ingwerwurzel · 100 g gekochter Schinken · 4 Tassen Hühnerbrühe (Rezept Seite 59) · 1 Eßl. Sojasauce · 1 Eßl. Reiswein · je 1 Prise Salz, Pfeffer und Glutamat
Pro Person etwa 170 Kalorien/700 Joule

● Zubereitungs- und Garzeit: 1 Stunde und 10 Minuten

So wird's gemacht: Die Pilze mindestens 30 Minuten in kochendheißem Wasser einweichen, dann entstielen und in Streifen schneiden. • Das Hühnerfleisch in Würfel schneiden. • Den Kürbis halbieren, schälen, die Kerne und das faserige Fleisch entfernen,

und das Übrige in gleichgroße Würfel schneiden. Den Lauch waschen und in 1 cm dicke Stücke schneiden. Die Ingwerwurzel schälen und fein hacken. Den Schinken in 1 cm große Würfel schneiden. • Die Hühnerbrühe in einem Topf zum Kochen bringen. Die Pilze, das Hühnerfleisch, die Kürbisstückchen und den Lauch zugeben und $^1/_2$ Stunde bei schwacher Hitze kochen lassen. • Den Ingwer, den Schinken, die Sojasauce und den Reiswein zufügen und weitere 2 Minuten kochen lassen. • Mit den Gewürzen abschmecken und heiß servieren.

Mein Tip Wenn Sie einmal an einem kalten Wintertag mehr als vier Gäste haben und ihnen etwas besonderes vorsetzen wollen, variieren Sie die Kürbissuppe so: Einen ganzen, 1–2 kg schweren Kürbis nehmen, das obere Drittel abschneiden, das faserige Gewebe und die Kerne entfernen. Den Rand zickzackförmig einschneiden, damit der Kürbis beim Servieren hübsch aussieht. Das Fleisch vorsichtig herausholen und in kleine Stücke schneiden. • Den ausgehöhlten Kürbis in Wasser 15 Minuten kochen. • Die Kürbissuppe nach obiger Anleitung zubereiten, in den Kürbis füllen und so servieren. In China kerbt man noch zusätzlich hübsche Muster in die Kürbisschale ein.

Beliebte Desserts

Einen Nachtisch wie in Europa gibt es in China nicht. Nach dem Essen reicht man bei uns frisches Obst, heißen Tee und kleine Süßigkeiten. Sie sollen deshalb aber Ihre Eßgewohnheiten nicht ändern und auf Ihr Dessert verzichten. Ich finde diese europäische Sitte sehr schön. Es gibt hier eine ganze Anzahl chinesischer Früchte in Dosen oder frisch, mit denen Sie einem chinesischen Essen einen stilechten Abschluß geben können. Zum Beispiel Lychees, Longan, Loquats, Kumquats, weiße Pfirsiche, Mangos, Papayas, Kiwis und Granatäpfel (siehe besondere Zutaten der chinesischen Küche Seite 63–65). Am einfachsten ist es, aus diesen Früchten einen Obstsalat zu bereiten. Außerdem nenne ich Ihnen noch einige chinesische Süßspeisen, die Sie gut als Nachtisch servieren können.

Früchtekuchen

Kwail Tuk

4 ungespritzte Kirschbaum- oder andere Obstbaumblätter · 3 Eßl. Rosinen · 2 Eßl. Haselnüsse · 1 Tasse kandierte Früchte · 4 Eier · 1 Eßl. Zucker · 1 Vanillinzucker · 4 Eßl. Mehl · 1 Eßl. Öl
Pro Person etwa 180 Kalorien/750 Joule

- Zubereitungszeit: 20 Minuten
- Garzeit: 20 Minuten

So wird's gemacht: Die Blätter gut waschen und in Salzwasser legen. Die Rosinen und die Haselnüsse fein hacken. Die kandierten Früchte kleinschneiden. • Die Eier, den Zucker und den Vanillinzucker mit dem Schneebesen verquirlen. Das Mehl, die Rosinen und die Nüsse zugeben und gut mischen. • 4 feuerfeste Schälchen mit Öl ausstreichen. Den Boden bunt mit den kandierten Früchten bestreuen und den Teig darübergießen. • Die gefüllten Schälchen in genügend Wasser etwa 20 Minuten dämpfen (siehe Gararten Seite 11).

So wird angerichtet: Vier kleine Teller mit je einem Kirschblatt belegen, die Früchtekuchen vorsichtig daraufstürzen und servieren.

Honigbananen

Fong Mi Siang Tziao

4 Bananen · 2 Eßl. Mehl · 2 Eßl. Speisestärke · 2 Eiweiße · 5 Eßl. Akazienblütenhonig · 1 Eßl. Zitronensaft · nach Bedarf 1–2 Eßl. Wasser
Zum Fritieren: geschmacksneutrales Öl oder Spezialöl (Rezept Seite 12)
Zum Bestreuen: 1 Eßl. Sesamsamen
Pro Person etwa 200 Kalorien/850 Joule

- Zubereitungszeit: 20 Minuten

So wird's gemacht: Die Bananen schälen, schräg in 3 cm dicke Scheiben schneiden und von allen Seiten in Mehl wenden. • Die Speisestärke und die Eiweiße gut verrühren. • Das Öl oder das Spezialöl erhitzen. • Die Bananenstücke im Stärke-Eiweiß-Gemisch gut wenden und im erhitzten Öl goldbraun fritieren. Auf Küchenkrepp abtropfen lassen und in eine erwärmte Schüssel geben. • Den Honig, den Zitronensaft und nach Bedarf etwas

Eines der bekanntesten und festlichsten Gerichte ▷
der chinesischen Küche, Peking-Ente! Rezept
Seite 42

Wasser aufkochen lassen und über die gebackenen Bananen gießen. • Mit Sesamsamen
bestreut servieren.

Variante – Honigäpfel
Die Äpfel schälen und in 1 cm dicke Ringe
schneiden. Weiter genauso verfahren wie bei
den Bananen.

Schwarze Juwelen

Su Chung Kwa

Für die original koreanischen Su Chung Kwa,
»die schwarzen Juwelen«, nimmt man eigentlich getrocknete Kakifrüchte. Sie können
aber genausogut getrocknete Pflaumen verwenden.

*1 Stückchen frische Ingwerwurzel ·
1 Zitrone · 1 Zimtstange von etwa 3 cm oder
1/2 Teel. Zimtpulver · 5 schwarze
Pfefferkörner · 5 Tassen Wasser · 1 Tasse
Zucker · 250 g getrocknete Pflaumen
Zum Bestreuen: 1 Eßl. gehackte Pinienkerne*
Pro Person etwa 220 Kalorien/920 Joule

- Zubereitungszeit: 30 Minuten
- Kühlzeit: etwa 10–15 Stunden

So wird's gemacht: Die Ingwerwurzel und die
Zitrone schälen und in dünne Scheiben
schneiden. Mit der Zimtstange, den Pfefferkörnern und dem Wasser zum Kochen bringen. Etwa 20 Minuten bei schwacher Hitze
kochen lassen. Den Zucker zugeben, noch
5 Minuten ziehen lassen, dann abkühlen lassen, durchseihen und den Saft kalt stellen. •
Die Pflaumen waschen und in dem erkalteten

Saft über Nacht im Kühlschrank stehenlassen. • Mit den gehackten Pinienkernen bestreut servieren.

> **Mein Tip** Man kann die Pflaumen
> auch in dem durchgesiebten Saft 10
> Minuten bei kleiner Hitze kochen, im
> Kühlschrank abkühlen lassen und
> dann eiskalt servieren. Achten Sie
> aber darauf, daß der Saft durch die
> Pflaumen nicht trüb wird. Wie der
> Name sagt, sollen sie wie schwarze Ju-
> welen in klarem Wasser schwimmen.

Obstsalat mit Zuckermelone

Tscham Oi

*1 Zucker- oder Honigmelone · 1 Tasse weiße
chinesische Pfirsiche aus der Dose oder 2–3
frische reife Pfirsiche · 1 Tasse Kirschen aus
der Dose · 4 Orangen · 1 Zitrone · 1/2 Tasse
Reiswein oder trockener Sherry · Zucker
nach Geschmack
Zum Bestreuen: einige Walnuß- oder
Pinienkerne*
Pro Person etwa 70 Kalorien/300 Joule

- Zubereitungszeit: 15 Minuten
- Kühlzeit: 30 Minuten

So wird's gemacht: Die Zucker- oder Honigmelone halbieren, die Kerne und das faserige

◁ Von oben nach unten: Sauer-scharfe Suppe, Seite 50, Gebratener Reis, Seite 21, Hähnchen im Gemüsebett, Seite 41, Geschnetzeltes mit Zwiebeln, Seite 31, Gekochter Reis, Seite 21, Soja-Essig-Sauce, Seite 60

Gewebe entfernen, das Melonenfleisch von der Schale lösen und würfeln. Auch die Pfirsiche in Würfel schneiden. • Die Kirschen abtropfen lassen, die Orangen und die Zitrone auspressen. • Die Früchte in eine Schale füllen, mit Orangen-, Zitronensaft und Reiswein übergießen, nach Geschmack zuckern und mindestens 30 Minuten im Kühlschrank ziehen lassen. • Die Walnuß- oder Pinienkerne grob hacken und darüberstreuen.

Varianten – Obstsalat mit Mangos, mit Papayas, mit Kiwis. Versuchen Sie auch andere Zusammenstellungen, indem Sie Ihr heimisches Lieblingsobst mit Ihren bevorzugten chinesischen Früchten kombinieren.

Gefüllte Melone

Su Bak

1 mittelgroße Wassermelone · 1 Zitrone · 1 Tasse Reiswein oder trockener Sherry · 100 g weißer Kandiszucker · 2 Eßl. Fruchtlikör (Kroatzbeere oder Cointreau) · 1 Tasse Lychees oder Longan
Pro Person etwa 190 Kalorien/800 Joule

● Zubereitungszeit: 20 Minuten
Kühlzeit: 30 Minuten

So wird's gemacht: Den oberen Teil der Melone abschneiden. Den Rand zickzackförmig einschneiden, damit die Melone beim Servieren hübsch aussieht. Mit einem Teelöffel oder Obstausstecher das Fruchtfleisch in Bällchen herausholen, die Kerne entfernen. • Eine Hälfte der Zitrone auspressen, die andere Hälfte schälen und in Scheiben schnei-

den. • Den Reiswein oder den Sherry erhitzen und den Kandiszucker darin lösen. Mit Likör und Zitronensaft abschmecken und kalt stellen. • Die Melonenbällchen und die Lychees oder die Longan in die ausgehöhlte Melonenschale geben, mit dem kalten Reisweinsirup übergießen und 30 Minuten im Kühlschrank stehenlassen. • Mit den Zitronenscheibchen garnieren und servieren.

Mandelgelee

Hsing Ren Tou fu

4 Blatt weiße Gelatine · 1 Tasse heißes Wasser · 1 Tasse Milch · 1 Eßl. Zucker · 1 Eßl. Mandelextrakt
Für den Sirup: 1 Tasse Orangensaft · 1/2 Tasse Zucker · 1 Tasse Wasser · Saft 1 Zitrone
Zum Garnieren: 1 Tasse Lychees · 4 Kirschen
Pro Person etwa 60 Kalorien/250 Joule

● Zubereitungszeit: 20 Minuten
● Kühlzeit: 1 Stunde

So wird's gemacht: Die Gelatine in etwas kaltem Wasser einweichen, gut ausdrücken und im heißen Wasser auflösen. Die Milch, den Zucker und den Mandelextrakt gut unterrühren. Die Mischung in eine flache Schüssel gießen und im Kühlschrank erstarren lassen. Die Zutaten für den Sirup erhitzen, bis der Zucker gelöst ist und dann kaltstellen. Das feste Gelee in etwa 2 cm große Würfel schneiden. In eine Schale geben, mit den Lychees und den Kirschen verzieren und mit dem kalten Sirup übergießen.

Tee und was wir sonst gern trinken

Überall und bei jeder Gelegenheit trinken wir in Asien heißen Tee. Er wird allerdings schwächer zubereitet als in Europa (– wir nehmen 4 Teelöffel auf 1 l Wasser –) und stets ohne Milch, Zucker und Zitrone gereicht. Gern essen wir kandierten Ingwer zum Tee.

Es gibt in Asien verwirrend viele Teesorten, die aber alle von ein und derselben Pflanze stammen. Diese Verschiedenheit beruht unter anderem auf der unterschiedlichen Art der Aufbereitung nach der Ernte. Danach entstehen der grüne oder unfermentierte Tee, der halbfermentierte Tee und der ganz fermentierte Tee, der in Europa als schwarzer Tee bekannt ist, bei uns aber »roter Tee« heißt.

Alle diese Sorten können noch durch Räuchern oder Beifügen duftender Blütenblätter, wie getrocknete Rosen-, Jasmin-, Chrysanthemen- oder Magnolienblüten, aromatisiert werden.

Ich empfehle Ihnen, einmal in einem Spezialgeschäft kleine Mengen von verschiedenen Teesorten zu kaufen und sie zu Hause nach und nach auszuprobieren.

Ebenso gern wie Tee trinken wir aber auch Wein. Unter diesem Begriff verstehen wir nicht nur den bekannten Reiswein, sondern eine ganze Reihe verschiedener Alkoholika aus Früchten, Getreide, Gewürzen und Kräutern, wie Orangenwein, Birnenwein, Lycheewein, Jasminwein, Chrysanthemenwein, Lotuswein, Pflaumenwein, Rosenblütenwein, Limonenlikör, Mandelbranntwein, Quittengin und Hirseschnaps.

Die jüngere Generation liebt auch Cocktails und Früchte in Alkohol. Die folgenden Rezeptbeispiele sollen Ihnen zeigen, wie Sie mit chinesischem Wein und exotischen Früchten raffinierte Drinks bereiten können.

Reiswein

1 Flasche Reiswein · 1 Porzellankrug · 4 kleine Reisweinschälchen oder Schnapsgläser

So wird's gemacht: Den Porzellankrug mit heißem Wasser ausschwenken. Den Reiswein in den Krug füllen und in einem Topf mit heißem Wasser auf etwa 40° erhitzen. Vor und während des Essens wird bei uns aus den kleinen Porzellanschälchen davon mehr genippt als getrunken.

Yang-Kuei-Fui-Cocktail

1 Flasche Fruchtweinbrand · 2 Tassen Lychees · 1 Tasse Eiswürfel

So wird's gemacht: Den Weinbrand einige Stunden im Kühlschrank kalt stellen. • Die Lychees in Cocktailgläser oder eine Cocktailschale geben. Einige Eiswürfel dazulegen, mit dem Weinbrand auffüllen und eiskalt servieren.

Ingwercocktail

4 Stücke kandierter Ingwer · $^1/_2$ l Reiswein $^1/_4$ l Vermouth · $^1/_4$ l Sherry

So wird's gemacht: Den Ingwer kleinschneiden. • Den Reiswein, den Vermouth und den Sherry kalt stellen. • Dann alles gut mischen und eiskalt servieren.

Brühen, Marinaden, Saucen, Eierstreifen

Die chinesische Küche legt großen Wert auf die Qualität und richtige Zusammensetzung der Brühen, Marinaden und Saucen. Sie beeinflussen ganz wesentlich das Aroma der Speisen, während Salz, Pfeffer und Glutamat nur eine geringe Rolle spielen.

Brühen

Brühen sind die Grundlage für Suppen, Saucen und viele Speisen. Ich empfehle Ihnen daher, übriggebliebenes Fleisch, Fisch und Gemüse aufzuheben, eine Brühe davon zu kochen und diese in kleinen Portionen einzufrieren. Chinesische Brühen müssen ganz klar sein, es darf nichts darin herumschwimmen. Deshalb seihen Sie sie nach der Zubereitung am besten durch ein feines Sieb oder Tuch. Schöpfen Sie auch das Fett ab, denn zu fette Brühen gibt es bei uns nicht.

Hühnerbrühe

1 Suppenhuhn · 1 Stange Lauch/Porree · 1 Stück frische Ingwerwurzel · 1 kleine Sellerieknolle · 10 schwarze Pfefferkörner

So wird's gemacht: Das Suppenhuhn mit kochendem Wasser überbrühen und abtropfen lassen. • Die Lauchstange waschen und in grobe Stücke schneiden. • Die Ingwerwurzel schälen und in 3–4 Stücke schneiden. Die Sellerieknolle schälen, halbieren und in dicke Scheiben schneiden. • Alle Zutaten in etwa 3 l Wasser bei kleiner Hitze zugedeckt kochen lassen. Ab und zu das Fett abschöpfen. • Die Brühe durch ein feines Sieb oder ein Tuch seihen, abkühlen lassen und im Kühlschrank aufbewahren oder einfrieren.

Rindfleischbrühe

1 Stange Lauch/Porree · 2 große Karotten · 1 Rettich · 1 Stange Bleichsellerie · 1 kg Rinderknochen · 3 Rindermarkscheiben · 1 kg Suppenfleisch vom Rind oder Ochsenschwanz

So wird's gemacht: Den Lauch waschen und in etwa 5 cm große Stücke schneiden. Die Karotten und den Rettich schälen, die Karotten quer halbieren, den Rettich quer vierteln. Den Bleichsellerie halbieren. • Das geschnittene Gemüse, die Rinderknochen, die Markscheiben und das Suppenfleisch mit etwa 3 l Wasser erhitzen und 3 Stunden bei kleiner Hitze zugedeckt kochen lassen. • Ab und zu das Fett abschöpfen. • Dann die Brühe durchseihen.

Chutney

2 Tassen Mangofrüchte · 1 Stückchen frische Ingwerwurzel · 1 Tasse brauner Zucker oder Honig · $^{1}/_{2}$ Tasse Wasser · $^{1}/_{2}$ Tasse Weinessig · $^{1}/_{2}$ Tasse Weißwein · 2 Eßl. Zitronensaft · 1 Teel. Knoblauchpulver · 1 Prise Salz oder Glutamat · 1 Prise weißer Pfeffer · Sambal Oelek nach Belieben

So wird's gemacht: Die Mangofrüchte schälen und das Fleisch in Würfel schneiden. Die Ingwerwurzel schälen und fein hacken. • Alle Zutaten in einen Kochtopf geben und bei kleiner Hitze etwa 20–30 Minuten kochen lassen, bis die Masse dick ist. • Abkühlen lassen und in einem gut verschließbaren Gefäß im Kühlschrank aufbewahren.

> **Mein Tip** Chutney kann man zum Dippen, als Sauce und als Kompott verwenden. Statt Mangos kann man auch Lychees, Longan, Loquats, Kiwis, Pfirsiche, Aprikosen oder Preiselbeeren nehmen.

Marinaden

Wir kennen zwei verschiedene Arten von Marinaden. Die eine wird bei vielen Gerichten zum Marinieren von Fleisch, Fisch oder Geflügel verwendet und besteht meist aus einer Mischung von Sojasauce, frischer Ingwerwurzel, Reiswein, Zucker, Lauch/Porree und Knoblauch. Dadurch wird das Fleisch zarter und bekömmlicher, und das ganze Gericht erhält einen besonderen Geschmack.

Die andere Marinade ist die sogenannte Meister-Marinade, die traditionelle chinesische Allzweck-Marinade. Sie wird für Monate und Jahre angesetzt und manchmal von Generation zu Generation weitergegeben. Man kann darin alle Arten von Fleisch, Geflügel oder Fisch kochen, serviert sie aber nicht mit, sondern bewahrt sie wieder auf. Sie wird immer vielseitiger und interessanter im Aroma, je häufiger und länger man sie verwendet. Nach etwa fünfmaliger Verwendung ergänzt man sie durch frische Gewürze und etwas Wasser. Jede Hausfrau und jeder Koch hat ein Geheimrezept für seine Meister-Marinade und ist stolz auf ihr besonderes Aroma.

Braune Meister-Marinade

$^1/_2$ Tasse Sojasauce · 1 Tasse Reiswein oder Sherry · 5 Tassen Wasser · 1 Zimtstange · 1 Stück frische Ingwerwurzel · 2 Teel. Pfefferkörner · 1 Teel. Gewürznelken · 4 Eßl. brauner Zucker oder Honig

So wird's gemacht: Alle Zutaten bei kleiner Hitze etwa 15 Minuten kochen lassen.

Variante – Weiße Meister-Marinade
Die Zutaten und die Herstellung sind dieselben, nur werden statt Sojasauce 2 Eßlöffel Salz genommen.

Saucen

In China heißt es: »Wenn die Saucen nicht richtig zubereitet sind, ist die beste Kochkunst umsonst«. Früher wurden alle Saucen oft sehr umständlich in der häuslichen Küche hergestellt. Heute gibt es zwar viele Fertigprodukte, doch schmecken uns die »hausgemachten« gewöhnlich besser. Die folgenden Saucen werden hauptsächlich zum Dippen verwendet.

Soja-Essig-Sauce

Bild Seite 56

Diese Sauce sollte möglichst frisch vor Gebrauch in kleiner Menge hergestellt werden. Jeder Gast bekommt ein Schälchen davon.

3 Eßl. Sojasauce · 3 Eßl. Weinessig · 1 Eßl. Erdnußöl oder 1 Teel. Sesamöl · 3 Eßl.

Reiswein oder Sherry · 2 Teel. Zucker ·
1 Teel. Sesamsamen · 1 Prise Salz · 1 Prise
Glutamat

So wird's gemacht: Alle Zutaten gut
verrühren.

Variante – Soja-Zitronen-Sauce
Nehmen Sie statt Weinessig Zitronensaft.
Die übrigen Zutaten bleiben gleich.

Soja-Mandarinen-Sauce

Jaotse-Dip

2 Eßl. Sojasauce · ¹/₂ Tasse Mandarinensaft ·
3 Eßl. Reiswein oder Sherry · 2 Eßl.
Weinessig · 1 Teel. Sesamöl · 1 Teel.
Zucker · 1 Teel. Sesamsamen

So wird's gemacht: Alle Zutaten gut
verrühren.

Variante – Soja-Orangen-Sauce
Nehmen Sie statt Mandarinensaft frischen
Orangensaft.

Currysauce

1 Zwiebel · 3 Eßl. Currypulver · ¹/₂ Tasse
Rindfleischbrühe (Rezept Seite 59) · 2 Eßl.
Öl · 2 Eßl. Reiswein oder Sherry · 1 Teel.
Zitronensaft · 1 Prise Salz · 1 Eßl.
Speisestärke

So wird's gemacht: Die Zwiebel schälen und
fein hacken. • Das Currypulver in der Rindfleischbrühe verrühren. • Das Öl in einer
Kasserolle erhitzen und die Zwiebel darin
braten, bis sie glasig ist. Die Currybrühe
einrühren und zum Kochen bringen. Mit dem
Reiswein oder dem Sherry, dem Zitronensaft
und der Prise Salz abschmecken und mit der
mit wenig kaltem Wasser angerührten Speisestärke binden.

Süßsaure Sauce

Diese Sauce hält sich – gut verschlossen – im
Kühlschrank längere Zeit.

1 Stückchen frische Ingwerwurzel ·
1 Knoblauchzehe · 1 Eßl. Öl · ¹/₂ Tasse
Tomatenketchup oder Tomatenmark ·
¹/₂ Tasse Rindfleischbrühe (Rezept Seite 59) ·
3 Eßl. Weinessig · 3 Eßl. Sojasauce · 3 Eßl.
Reiswein oder Sherry · 3 Eßl. Zucker ·
1 Teel. Salz · 1 Eßl. Speisestärke ·
Chilisauce, Tabascosauce oder Sambal Oelek
nach Belieben

So wird's gemacht: Die Ingwerwurzel und
den Knoblauch schälen und fein hacken. •
Das Öl in einer Kasserolle erhitzen. Den Ingwer und den Knoblauch kurz darin braten.
Das Tomatenketchup, die Rindfleischbrühe,
den Weinessig, die Sojasauce, den Reiswein
oder den Sherry, den Zucker und das Salz
zugeben und die Mischung zum Kochen bringen. • Die Speisestärke mit wenig kaltem
Wasser anrühren und die Sauce damit binden. Vorsichtig mit einigen Tropfen Chilisauce, Tabascosauce oder Sambal Oelek
würzen.

Varianten – Süßsaure Lycheesauce, Mangosauce, Pflaumensauce, Longansauce, Sauerkirschensauce oder Aprikosensauce.
Anstelle des Tomatenketchups nimmt man das Mus der genannten Früchte (Mixer) und verfährt sonst nach obigem Rezept.

Meerrettichsauce

1 Eßl. frischer Meerrettich · 3 Eßl. Petersilie · 1 Eßl. Sojasauce · 1 Eßl. Reiswein · 1 Teel. Zitronensaft

So wird's gemacht: Den Meerrettich schälen und fein reiben. Die Petersilie fein hacken und mit dem Meerrettich, der Sojasauce, dem Reiswein und dem Zitronensaft gut mischen.

Tomatensauce

1 Stückchen frische Ingwerwurzel · 1 Tasse Tomatenmark · 1 Tasse Fleischbrühe (Rezept Seite 59) · 2 Eßl. Sojasauce · 2 Eßl. Reiswein oder Sherry · ¹/₂ Teel. Zucker · 1 Teel. Knoblauchpulver · 1 Eßl. Öl · je 1 Prise Salz und Pfeffer · 1 Eßl. Speisestärke · 3 Eßl. Petersilie

So wird's gemacht: Den Ingwer schälen und fein hacken. • Das Tomatenmark, die Fleischbrühe, die Sojasauce, den Reiswein oder den Sherry, den Zucker und das Knoblauchpulver verrühren. • Das Öl in einer Pfanne erhitzen. Den Ingwer kurz darin anbraten. Die Mischung einrühren und zum

Kochen bringen. Mit Salz und Pfeffer abschmecken und mit der in wenig kaltem Wasser angerührten Speisestärke binden. • Die Petersilie fein hacken und daruntermischen.

Senfsauce

2 Eßl. Mixed Pickles · 3 Eßl. scharfer Senf · 1 Eßl. Sojasauce · 1 Eßl. Reiswein · 1 Prise Glutamat

So wird's gemacht: Alle Zutaten gut mischen.

Mein Tip Man kann zur Abwechslung statt der Mixed Pickles beliebige andere Früchte oder Gemüse verwenden.

Eierstreifen

Dal Gal Zai

Eierstreifen verwenden wir sehr gerne zum Verzieren vieler Speisen.

1 Ei · 1 Prise Salz · 1 Teel. Öl

So wird's gemacht: Das Ei mit dem Salz gut verrühren. • Eine Bratpfanne erhitzen, das Öl hineingeben und eine dünne, hellgelbe Omelette backen. Zusammenrollen, abkühlen lassen und in feine Streifen oder 2–3 cm große Karos schneiden.

Besondere Zutaten
der chinesischen Küche

Abalonen: Kostspielige Tiefseemuscheln, die hier nur in Dosen zu erhalten sind. Bei der Zubereitung sollte man sie lediglich kurz erhitzen und weder kochen noch braten, weil das Fleisch sonst zäh wird. Man kann sie auch kalt in dünne Scheiben schneiden und mit einer Dipsauce servieren.

Bambussprossen: Junge, zarte Sprossen der Bambuspflanze, hier in Dosen erhältlich. Wir verwenden sie als universelles Gemüse, als Beilage zu allen Fleisch-, Fisch- und Geflügelgerichten. Reste kann man in einem gut verschlossenen Glas etwa eine Woche im Kühlschrank aufbewahren, wenn man das Wasser täglich erneuert.

Chilisauce: Sehr scharfe Sauce aus den Chili-Pfefferschoten. Sie kann durch Tabasco-sauce ersetzt werden.

Chinakohl: Auf dem Markt gibt es China-kohl und Japankohl. Die Chinakohlblätter sind dunkelgrün, der Stiel etwa 50 cm lang. Japankohl hat einen kürzeren Stengel und blaßgelbe Blätter, die einen Kopf bilden. Ich mag Japankohl lieber, weil er zarter und deshalb bekömmlicher ist. Beide Kohlarten können durch Weißkohl, Wirsing oder Chicoréestauden ersetzt werden.

5-Gewürze-Pulver (Wu Chian Fen): Eine Mischung aus schwarzen Pfefferkörnern, Sternanis, Fenchelsamen, Gewürznelken und Zimtstangen. Sie ist sehr scharf und daher vorsichtig zu dosieren. Wenn Sie die Mischung selbst herstellen, achten Sie darauf, daß Sie keine überlagerten Gewürze verwenden. Mischen Sie etwa 2 Eßlöffel schwarze Pfefferkörner mit 4 Anissternen, 2 Teelöffeln Fenchelsamen, 10 Gewürz-nelken und $1/2$ Zimtstange. Die Zutaten werden im Mixer zerkleinert oder besser noch im Mörser pulverisiert.

Glasnudeln (Fun Tse): Fadenähnliche Nudeln aus Mungabohnen oder Maismehl, die beim Kochen durchsichtig wie Glas werden. Man kann sie für Suppen, Gemüse und als Beilage zu Fleischgerichten verwenden.

Glutamat (chinesisch Vet Sin, japanisch Azi-nomoto): Eine Aminosäure, die in der Küche als Natriumsalz Verwendung findet. Das weiße Pulver wird aus Getreideprotein gewonnen. Es erhöht den Eigengeschmack aller Speisen, man sollte aber nur kleine Prisen verwenden. Erfahrene Köche nehmen zum Würzen lieber Fleisch- oder Hühnerbrühe.

Hoisinsauce: Fermentierte, rote Sojabohnen-sauce, mit verschiedenen Gewürzen angereichert. Sie findet bei vielen Fleischgerichten sowie bei der Peking-Ente Verwendung.

Ingwerwurzel: Die braune, faustgroße Wurzelknolle kann man das ganze Jahr über frisch in Gemüsegeschäften erhalten. Es gibt Ingwer außerdem auch als getrocknete Scheiben, als Pulver, Sirup oder kandiert. Für meine Rezepte verwende ich jedoch nur frische Ingwerwurzeln. Kaufen Sie deshalb eine Knolle und bewahren Sie diese fest verschlossen im Kühlschrank auf.

Kumquats: Würzige Zwerg-Orangen von etwa 3 cm Durchmesser. Hier hauptsächlich in Dosen zu erhalten. Sie eignen sich als Nachtisch, für Cocktails und als Verzierung von kalten Platten.

Longan: Auch Drachenaugen genannt. Sie sehen ähnlich wie Silberzwiebeln aus, haben aber eine braune Schale. Ihr Geschmack ist dem der Lychees sehr ähnlich.

Loquats: Aprikosenähnliche, kleine gelbe Früchte, hier nur in Dosen erhältlich. Man serviert sie als Nachtisch oder zu Geflügelgerichten.

Lychees: Die »chinesischen Haselnüsse« haben eine grobe Haut, die erdbeerrot und sehr hart ist, sich aber leicht abschälen läßt. Man erhält die Früchte hauptsächlich in Dosen, hin und wieder auch frisch. Lychees können als Nachtisch oder als Beilage zu Geflügelgerichten serviert werden.

Morcheln: Getrocknete schwarze Pilze. Sie werden vor dem Verwenden 10–15 Minuten in warmem Wasser eingeweicht, wobei sie kräftig quellen. Das Wasser sollte während dieser Zeit öfter gewechselt werden. Zähe Teile entfernt man.

Mungabohnen: Harte, grüne, sehr kleine getrocknete Bohnen. Die hier bekannten Sojabohnensprossen sind in Wirklichkeit Mungabohnensprossen.

Pilze, braune chinesische (chinesisch Toong Gu, japanisch Su take): Dunkelbraune Hutpilze von etwa 3–5 cm Durchmesser, den Steinpilzen ähnlich. Man bekommt sie getrocknet. Diese Pilze haben ein besonderes Aroma und gelten bei uns als Delikatesse. Sie schmecken aber nicht jedem Europäer. Nach dem Waschen mindestens 30 Minuten in heißem Wasser einweichen oder in einer Mischung aus Sojasauce, Reiswein und Wasser leicht kochen, bis sie weich sind. Die Stengel werden nicht verwendet. Die Brühe kann man als Suppe oder als Beilage zu Fleisch und Geflügelgerichten servieren.

Reisnudeln: Etwas dicker als Glasnudeln und milchigweiß. Die brüchigen Nudeln werden aus Reismehl hergestellt. Man verwendet sie als Suppeneinlage und zu Fleisch-, Geflügel- und Gemüsegerichten.

Rote Bohnen (japanisch Azuki-Bohnen): Etwa erbsengroße, getrocknete Bohnen.

Sie werden in kaltem Wasser über Nacht eingeweicht oder so lange gekocht, bis sie weich sind. Man verwendet sie als Beilage zu Reis und süßem Reis. Aus ihnen ist auch die Rote-Bohnen-Paste hergestellt, die als Füllung für Süßigkeiten dient.

Sambal: Unter diesem Namen gibt es zahlreiche verschiedene Gewürzmischungen. Ich verwende in meinen Rezepten Sambal Oelek, ein Mus aus Pfefferschoten, das scharf wie Feuer ist. Deshalb bitte sehr vorsichtig dosieren!

Sesamöl: Ein bernsteinfarbenes, sehr konzentriertes, kräftig duftendes Öl, das aus geröstetem Sesamsamen gewonnen wird. Für uns ist es eine Delikatesse. Europäern empfehle ich anfangs eine möglichst sparsame Dosierung, weil das kräftige Aroma sehr ungewohnt ist. Nicht als Bratöl verwenden, sondern zuletzt zur Aromatisierung zugeben.

Sesamsamen: Winzig kleine Samen zum Würzen von Süßigkeiten und Kuchen, aber auch von anderen Gerichten. Es gibt schwarze und weiße Sesamsamen. Beide sind in Reformhäusern erhältlich. Ich empfehle Ihnen, den gekauften Sesamsamen zuhause in einer trockenen Pfanne goldbraun zu rösten. Wenn der Samen genügend erhitzt ist, hüpfen die Körnchen in die Höhe wie Popcorn. Dann abkühlen lassen und in verschließbaren Gläsern aufbewahren. So entfalten sie erst richtig das Aroma.

Seetang: Getrocknete dünne, schwarze papierähnliche Meerespflanze. Wir wickeln unsere Reishäppchen (Rezept Seite 19) in etwa 17×20 cm große Blätter von Seetang und essen sie gern zu Suppen und als Gemüse.

Sojabohnen: Etwa erbsengroße gelbe Bohnen, die bei uns als »Fleisch des Feldes« bezeichnet werden. Es gibt zahlreiche Sojabohnenprodukte, die wegen ihres hohen Eiweißgehaltes sehr wertvoll sind.

Sojabohnenkeimlinge (Lunja): Etwa 3–5 cm lange Keimlinge, die eigentlich Mungabohnenkeimlinge sind. Um Keimlinge aus der Dose etwas knackiger zu bekommen, ist es ratsam, sie mindestens 1 Stunde in kaltem Wasser in den Kühlschrank zu stellen. Natürlich schmeckt aber frisches Gemüse besser und ist auch vitaminreicher. Sie können Sojabohnenkeimlinge ohne Schwierigkeit selbst ziehen: Man braucht eine Plastikschüssel von etwa 50 cm Durchmesser und ein dazu passendes Plastiksieb. Etwa eine Tasse Mungabohnen über Nacht einweichen. Das Sieb in die Schüssel stellen und mit einer 1–2 cm dicken Zellstoffschicht auslegen. Darauf die Bohnen schütten und mit einem Blatt Zellstoff bedecken. Zwei bis dreimal am Tag vorsichtig mit kaltem Wasser begießen und das unten angesammelte Wasser wegschütten. Die Bohnen keimen im Dunkeln und bei Zimmertemperatur. Etwa nach einer Woche können sie geerntet werden. Wenn sie nicht ausreichend vor Licht geschützt sind, werden die Keimlinge grün und beginnen zu blühen.

Sojabohnenpaste (chinesisch Mun Tschiang, japanisch Miso): Der gelbe oder dunkelbraune, fermentierte Bodensatz der Sojasauce. In Japan ißt man fast jeden Morgen einen Teller heiße Misosuppe. Sojabohnenpaste wird gern verwendet zu Suppen und Saucen und für Fleisch-, Fisch- und Geflügelgerichte, die langsam kochen müssen.

Sojabohnenquark (Tufu): Aus Sojabohnenmilch gewonnener, weißer fester Quark.

Man kann ihn unter dem Namen Tufu in Dosen abgepackt kaufen, doch schmeckt frischer Quark aus dem Spezialgeschäft viel besser. Wir verwenden ihn als Beilage für alle Speisen. Buddhistische Mönche bereiten aus Tufu zahlreiche Gerichte mit einem dem Fleisch verblüffend ähnlichem Geschmack.

Sojasauce: Eine Grundsauce für alle Gerichte. Man erhält sie aus fermentierten Sojabohnen. Chinesische Sojasauce ist sehr salzig, indonesische dagegen süß und sirupartig. Für Europäer eignet sich am besten die japanische, weil sie mild und nicht zu salzig ist.

Sternanis: Brauner getrockneter, achtstrahliger Stern, der schärfer und bitterer schmeckt als herkömmlicher Anis. Man verwendet ihn für langsam kochende Gerichte.

Wasserkastanien: Hier nur in Dosen zu erhalten. Als Ersatz können Maronen verwendet werden.

Die chinesische Heilküche

Bei uns erkannte man schon sehr früh den Wert der gesunden Ernährung. Unsere Hofköche waren weise Männer, die den gleichen Rang hatten wie die Mediziner. Heute haben wir zwar die moderne westliche Medizin begeistert aufgenommen, daneben aber die alte chinesische Heilkunst keineswegs vergessen. Häufig werden ihre Erfolge durch naturwissenschaftliche Untersuchungen bestätigt. Bevor Sie deshalb bei kleinen Beschwerden eine Tablette schlucken, sollten Sie sich einmal in der Natur umsehen. Unsere natürlichen Mittel aus der »Heilküche« schaden bestimmt nicht, vielleicht nützen sie Ihnen sogar sehr!

Getränke und Säfte gegen Müdigkeit

Ginsengschnaps

Ginseng ist unsere Lebenswurzel. Sie ist hier in Europa auch populär geworden und überall in Apotheken oder Reformhäusern zu erhalten.

2 getrocknete Ginsengwurzeln · $^1/_2$ l Whisky, Reisschnaps oder Gin

So wird's gemacht: Die Ginsengwurzeln in einem gut verschließbaren Gefäß mit Whisky oder einem anderen Schnaps übergießen und 3 Monate lang ziehen lassen. • Dann abfüllen und jeden Tag vor dem Essen ein Schnapsglas davon trinken.

Fruchtsaft

1 Karotte · 1 Apfel · 1 Zitrone · 2 Tassen Mineralwasser · Honig nach Belieben · Eiswürfel

So wird's gemacht: Die Karotte und den Apfel ungeschält fein reiben oder im Mixer pürieren. • Die Zitrone auspressen. • Das Mineralwasser zugeben und mit Honig abschmecken. Mit Eiswürfeln servieren.

Knoblauchschnaps

1 Tasse Knoblauchzehen · 1 l klarer Korn

So wird's gemacht: Den Knoblauch schälen und in Scheiben schneiden. In einen Tonkrug geben, den Korn darübergießen und gut verschlossen $^1/_2$ Jahr stehenlassen. • Jeden Tag vor dem Essen ein Schnapsglas davon trinken. Der intensive Knoblauchgeruch ist durch die lange Lagerung nicht mehr spürbar.

Hilft gegen Schlafstörungen

Blasenkirschensaft

10 Blasenkirschen oder getrocknete Pflaumen · 10 g Weizenkörner · 4 Tassen Wasser

So wird's gemacht: Die Blasenkirschen sind nur in Spezialgeschäften zu haben. Alle Zutaten zusammen so lange köcheln lassen, bis die Flüssigkeit auf die Hälfte reduziert ist. • Abseihen und 1 Stunde vor dem Schlafengehen 1 Tasse Saft heiß trinken. Der Saft hält sich ein paar Tage im Kühlschrank.

Frühlingszwiebel-saft

8 Frühlingszwiebeln oder 4 Stangen Lauch /Porree · 4 Tassen Wasser · Honig nach Belieben

So wird's gemacht: Die grünen Spitzen der Frühlingszwiebeln oder der Lauchstangen abschneiden und nur die Wurzeln und die weißen Stiele verwenden. In Scheiben schneiden und mit dem Wasser so lange offen köcheln lassen, bis die Flüssigkeit auf etwa die Hälfte reduziert ist. Honig nach Belieben zugeben. • Abseihen und 1 Stunde vor dem Schlafengehen 1 Tasse davon heiß trinken. Der Saft hält sich ein paar Tage im Kühlschrank.

Hilfreich bei Erkältungen

Kakisaft

2 Kakifrüchte · 4 Tassen Wasser

So wird's gemacht: Am besten sind getrocknete Früchte. Sie können aber auch frische Kakifrüchte nehmen. In Scheiben schneiden und mit dem Wasser so lange offen köcheln lassen, bis die Flüssigkeit auf etwa die Hälfte reduziert ist. Öfters am Tag 1 Tasse davon heiß trinken. Die Früchte können mitgegessen werden.

Variante-Orangenschalensaft
Nehmen Sie statt der Kakifrüchte die getrockneten Schalen von 2 Orangen.

Honigrettich

1 Rettich · 2 Tassen Honig oder Malzextrakt

So wird's gemacht: Den Rettich schälen und in Würfel schneiden. • In einem Glas den Rettich mit dem Honig mischen, gut verschließen und 2 Tage stehenlassen. Bei Bedarf den Saft löffelweise einnehmen.

> **Mein Tip** Man kann den Rettich auch fein reiben, mit dem Honig mischen und sofort essen.

Löwenzahn-schnaps

20 g Löwenzahnwurzeln · $^1/_2$ l Reisschnaps oder Korn

So wird's gemacht: Die Löwenzahnwurzeln ausgraben, solange noch grüne Blätter daran sind. Gut waschen und zerschneiden. • Die Wurzeln in ein gut verschließbares Gefäß geben, mit dem Reisschnaps übergießen und etwa 20 Tage stehenlassen. • Abseihen und in Flaschen füllen. Bei Bedarf 1 kleines Glas davon trinken.

Birnen und Ingwer

1 Birne · 1 Ingwerwurzel · 4 Tassen Milch

So wird's gemacht: Die Birne und die Ingwerwurzel waschen, mit der Schale fein reiben und mit der Milch zum Kochen bringen. Heiß trinken. • Besonders wirkungsvoll ist es, wenn man die Birne und die Ingwerwurz mitißt.

Chrysanthemen-blütentee

10 g getrocknete Chrysanthemenblüten · 4 Tassen Wasser

So wird's gemacht: Die getrockneten Chrysanthemenblüten mit dem Wasser so lange offen köcheln lassen, bis die Flüssigkeit auf die Hälfte reduziert ist. Täglich ein wenig davon heiß trinken.

Gut gegen Kater

Erbsenbrühe

1 Tasse Erbsen (frisch oder tiefgefroren) · 1 Tasse Hühnerbrühe (Rezept Seite 59)

So wird's gemacht: Die Erbsen in der Hühnerbrühe garen, dann abseihen und im Mixer zerkleinern. Die Brühe wieder zugeben und den Brei essen.

Birnensaft

1 Birne · 1 Rettich · 1 Ingwerwurzel · Honig nach Belieben

So wird's gemacht: Die Birne, den Rettich und die Ingwerwurzel gut waschen und ungeschält im Mixer zerkleinern. Nach Geschmack Honig zugeben und einnehmen.

Tips, um fröhlich alt zu werden

Bei uns gibt es nicht nur viele alte, sondern viele fröhliche alte Leute. Chinesische Wissenschaftler haben sie befragt und ihre Eßgewohnheiten erforscht. Es stellte sich heraus, daß sie sich hauptsächlich von folgenden Speisen ernährten: wenig Fleisch, Karpfen, Sojabohnenquark, Ginsengwurzeln und in Öl gebratenem Gemüse, vor allem Kürbis und Karotten.

GU Küchen-Ratgeber

Alles, was gut schmeckt! Tolle Rezepte von gestern und heute. Die beliebten Küchen-Ratgeber – zum Sammeln wie geschaffen. Jeder Band mit 56 – 72 Seiten, 10 – 25 Farbfotos, vielen Zeichnungen, Paperback.

Wählen Sie aus:

- Köstliche Aufläufe
- Backen nach Großmutters Art
- Selber Brot backen
- Köstliche Ei-Gerichte
- Selber einmachen

- Köstliche Eintöpfe aus aller Welt
- Köstliche Fisch-Gerichte
- Reizvolle Fleisch-Rezepte
- Reizvolle Fondue-Rezepte
- Köstliche Geflügel-Gerichte
- So schmeckt's vom Holzkohlengrill
- Reizvolle Rezepte mit Käse
- Reizvolle Kartoffel-Gerichte
- Kochen mit Knoblauch
- Küchenkräuter selbst gezogen
- Köstliche Lamm-Spezialitäten
- Mixgetränke – mit und ohne Alkohol
- Nudel-Variationen
- Pizza, Calzone und Focaccia

- Plätzchen selbst gebacken
- Köstlichkeiten mit Quark und Joghurt
- Raffiniert würzen – leicht gemacht
- Reizvolle Rezepte für 1 Person
- Bunte Salate mit Variationen
- Köstliche Saucen selbst gemacht
- Gutes aus dem Schnellkochtopf
- Toast raffiniert
- Kochen mit Tomaten
- Vollkorn-Rezepte
- Wildgerichte – leicht gemacht
- Köstliches aus dem Wok
- Kochen mit Zwiebeln
- Chinesisch kochen – leicht gemacht
- Echt französisch kochen
- Echt griechisch kochen
- Indonesisch kochen – leicht gemacht
- Echt italienisch kochen
- Echt provenzalisch kochen

Rezept- und Sachregister

Rezept- und Sachregister

Rezept- und Sachregister

1 Greenbeans Starch Sheet
  (Blätter aus Munga-
  bohnenstärke, müssen
  eingeweicht werden)
2 Bittermelonen
3 Wintermelone
4 Chinakohl mit Chilli
5 Lotuswurzeln
6 Mixed Pickles
7 SAWI ASIN (Kohl in
  Salzlake)
8 Hoisin Sauce
9 Schwarze Bohnen
  (Sojabohnen) gesalzen
10 Lilienblüten
11 Getr. Haifischflossen
12 5 Gewürze Mischung
  (Fenchel-Anis-Zimt-
  Nelken-Pfeffer)

13 Sesam Samen
14 Reis Eiernudeln
15 Kohl (Sawi Asin) getr.
16 Eiernudeln (Weizenmehl)
17 Glasnudeln
18 Seegras (getrocknet und
  gesalzen, muß einge-
  weicht werden!)
19 Strohpilze
20 Muer (schwarze Pilze)
21 Mushroom Sojasauce
22 Superior Sojasauce
23 Reiswein (zum Kochen)
24 Sesamöl
25 Austernpilze
26 Golden Mushrooms
27 Reiskuchen, getrocknet
  (muß eingeweicht werden)
28 Toong Gu Pilze